LA DÉPRESSION
LE PLUS
BEAU CADEAU
DE MA VIE

Christine Dubois

LA DÉPRESSION
LE PLUS
BEAU CADEAU
DE MA VIE

*« J'ai enlevé mon masque pour devenir et être
celle que je suis, celle que je deviens. »*

BÉLIVEAU
★
éditeur

Conception et réalisation de la couverture : Christian Campana
Photographie de la couverture : Charles-Antoine Leblanc
                         www.charlesantoineleblanc.com

Dépôt légal : 2e trimestre 2011
Bibliothèque et Archives nationales du Québec
Bibliothèque et Archives Canada

ISBN : 978-2-89092-497-0

 920, rue Trans-Canada
Longueuil (Québec) Canada J4G 2M1
450-679-1933   Télécopieur : 450-679-6648

www.beliveauediteur.com
admin@beliveauediteur.com

Gouvernement du Québec – Programme de crédit d'impôt pour l'édition de livres –
Gestion SODEC – www.sodec.gouv.qc.ca.

Nous reconnaissons l'aide financière du gouvernement du Canada par l'entremise du
Programme d'Aide au Développement de l'Industrie de l'Édition (PADIÉ) pour nos
activités d'édition.

IMPRIMÉ AU CANADA

Je veux dédier ce livre à toutes les personnes
qui, comme moi, ont vécu ou vivent encore
l'anxiété chronique ou la dépression.

Je veux vous dire que vous êtes des personnes
de qualité, car vous êtes un des grands
miracles de la vie et que vous avez,
vous aussi, droit à votre place au soleil.
Prenez-la!

Table des matières

Remerciements

LA DÉPRESSION, LE PLUS BEAU CADEAU DE MA VIE est le fruit d'un épanouissement personnel, du dévoilement d'une femme, de la découverte d'une personne fragile et combien forte à la fois. C'est un travail de longue haleine qui m'a permis de réaliser mon rêve tout en croyant très fort que je pouvais le faire.

Un merci tout spécial à mon mari, Jean-Guy, qui partage ma vie depuis dix-huit ans, ainsi qu'à mes deux filles, Johannik et Julyanne, qui ont toujours été là dans les moments difficiles, les grandes périodes d'émotion. Ces êtres chers qui ont participé à toutes mes activités et à tous mes «moments de folie», je veux leur témoigner aujourd'hui toute ma reconnaissance et mon amour.

À mes parents, à mes deux frères, Christian et Ghislain, ainsi qu'à chaque membre de leur famille, merci d'avoir toujours été là pour moi et d'avoir vu à mes besoins parfois très spécifiques. De m'avoir protégée et encouragée comme ils l'ont fait, avec amour et respect.

Merci du fond du cœur à ma grande amie Manon Pellerin. En plus d'avoir fait la correction de mon livre, elle a toujours été là pour moi et avec moi tout au long du processus. Elle est loin physiquement, mais ô combien près de mon cœur. Je t'aime fort, Manon, et sache que je ne pourrai jamais assez te remercier. Merci également à mes deux autres correctrices, Jacinthe Bourget et Carole Daigle, qui ont cru en moi et en mon livre. Grâce à ces trois femmes de cœur, vous tenez entre vos mains la réalisation d'un de mes rêves. Je vous dis un profond merci.

Merci aussi à tous mes amis qui occupent une place privilégiée dans ma vie, eux qui y sont entrés afin de me permettre de découvrir la valeur de l'amitié ainsi que les bienfaits qu'on peut ressentir d'être aussi bien entourée.

Merci à Marc Vachon, psychologue et conférencier, pour sa grande générosité, car bien qu'il m'ait très peu connue, il a accepté d'écrire la préface de mon livre et m'a encouragée à croire en moi, en ce que je pouvais accomplir.

Un merci tout spécial à mon grand ami Hugo Girard qui, grâce à son attitude, à son dynamisme et à ses petites phrases clés comme «Fais de ton rêve une réalité», a su me stimuler et me redonner le goût de croire en mes rêves et de fournir tous les efforts possibles pour les voir se réaliser. Il a accepté le rôle de parrain virtuel et l'a fait avec brio; il est vraiment toute une source de motivation pour moi.

À toutes les personnes dans ma vie qui font une différence et qui ont participé à ce magnifique projet en étant avec moi, près de moi et surtout en m'apportant leur amour, leur amitié, leur soutien et leur respect, merci mille fois.

Préface

Je ne sais pas, ami lecteur, ce qui vous a conduit à tenir ce livre dans vos mains et à en commencer la lecture. Peut-être êtes-vous à la recherche de réponses pour vous aider à traverser un état dépressif? Peut-être cherchez-vous à mieux comprendre un proche aux prises avec des troubles anxieux et à trouver des outils pour lui venir en aide? Peut-être êtes-vous simplement curieux de suivre le cheminement d'une personne qui s'est battue pour surmonter ses nombreuses peurs et affirmer la personne qu'elle est? Peut-être êtes-vous là par amitié, de tout cœur avec cette femme qui fait partie de votre vie personnelle ou professionnelle? Ou peut-être ce livre a-t-il attiré votre regard par un heureux hasard, tout simplement?

Quelle que soit la raison qui vous amène ici, je suis persuadé qu'en parcourant les pages de ce livre de Christine Dubois, vous allez, tout comme moi, être sensible à ce grand élan du cœur. Car c'est bien de cela dont il s'agit: le grand cri du cœur d'une femme qui, si elle a appris depuis sa tendre enfance l'importance du partage et du don de soi, a maintenant ajouté à ses valeurs celles de se faire confiance, de s'aimer et de prendre soin d'elle, conditions essentielles quand on souhaite, comme Christine, venir en aide aux autres sans se brûler soi-même.

Ce livre, on le sent à chaque chapitre, part d'un profond désir de l'auteure de rejoindre ceux et celles qui vivent les difficultés qu'elle a elle-même vécues intérieurement, d'appuyer ces personnes, de leur dire à quel point elle les comprend et de briser leur solitude. Non seulement Christine témoigne-t-elle de son cheminement à travers les méandres des troubles anxieux qui l'ont affectée, mais surtout elle nous offre plusieurs moyens simples et pratiques de modifier ces façons de penser auto-destructrices qui caractérisent si bien ces états. Ces outils, qu'elle explique très bien dans son livre, lui ont permis d'utiliser les années difficiles qu'elle a traversées comme d'un tremplin pour devenir et aimer de plus en plus la personne qu'elle est vraiment. Utilisés avec constance, ils l'ont aidée, et l'aident encore, à vaincre ces nombreuses peurs qui nous guettent tous, autant que nous sommes, sur notre route: la peur de ne pas être à la hauteur, la peur de déplaire, la peur d'être jugé, la peur de s'affirmer; en un mot, la peur d'être ce qu'on est, tout simplement. En ce sens, son témoignage a une portée universelle.

Rien n'arrive pour rien, croit l'auteure, et je veux croire moi aussi que ce n'est pas un accident si cet écrit se retrouve entre vos mains. Prenez maintenant le temps de parcourir les prochaines pages et préparez-vous à recevoir une immense transfusion d'énergie positive d'un cœur ouvert et sensible au vôtre. Selon moi, ce que Christine Dubois réussit à faire, c'est de vous proposer un art de vivre heureux.

Bonne lecture!

Marc Vachon, psychologue
Oserchanger.com

Introduction

A ujourd'hui est un grand jour, puisque je viens, par le biais de l'écriture, dévoiler en mes mots ce qui m'a conduite vers la dépression et, surtout, quels sont les bienfaits que celle-ci m'a apportés. Je présenterai également les outils que j'ai su utiliser afin de reprendre en main ma vie, ma santé, mon esprit. Je veux également inviter les lecteurs et les lectrices à réaliser que, bien que la vie ait son lot de difficultés, d'épreuves et de découragements, elle possède également des moments très intenses, remplis de joie, d'amour et d'amitié.

La vie est l'un des plus merveilleux cadeaux qui nous a été donné et c'est à nous d'en prendre soin et d'améliorer notre existence. Il est très important de nous rappeler que chacun est le maître de sa vie, que nous sommes les seuls à pouvoir la modifier, l'améliorer ou la changer radicalement. Personne ne peut gérer notre vie ou n'en a le droit, car elle nous appartient, non seulement en partie mais en totalité. Il est vrai que certaines personnes peuvent nous influencer, nous amener vers diverses expériences, mais cette petite voix du cœur que nous appelons l'intuition est, selon moi, le meilleur guide que nous devons toujours suivre. Savoir s'écouter et se donner le droit à l'erreur est important, car personne n'est parfait!

Si je viens dévoiler des parties secrètes de ma vie, c'est parce que je suis consciente de ce que j'ai vécu. Cette conscientisation me permet maintenant d'aider des gens, de les encourager à demander de l'aide et, surtout, de leur permettre de découvrir, sans l'ombre d'un doute, une vie meilleure.

Certes, je ne peux pas changer le monde. Toutefois, je peux au moins essayer de l'améliorer. J'ai éprouvé un besoin très fort de m'exprimer et de dire aux gens que, oui, c'est possible de s'en sortir, d'être enfin bien dans son corps, dans sa tête et dans son cœur.

Ce livre raconte comment j'ai traversé le tunnel de l'anxiété généralisée qui, jusqu'à mes trente ans, me tenait prisonnière. Je livre une partie de ma vie, de mes batailles psychologiques et de ma délivrance. Je partage ma façon nouvelle de voir la vie, la vie d'une femme qui a surtout réussi à se libérer de ce fardeau, ô combien lourd, qu'était l'anxiété. J'explique des moyens concrets qui m'ont aidée à m'en sortir et à bien vivre aujourd'hui, à combattre les obstacles et, surtout, à apprécier chaque minute précieuse qu'offre la vie.

J'affirme, sans aucun doute, que chaque personne est unique, car elle est un grand miracle de la vie. Chaque personne peut, si elle le veut réellement, accomplir de grandes choses, de très grandes choses. Quels que soient les rêves, les buts et les objectifs, ils peuvent être atteints si on y met son cœur, beaucoup d'énergie et une grande détermination. Au fond de chacun, il y a tout ce qu'il faut pour s'accomplir et ouvrir toutes grandes les portes afin de réaliser ses désirs. Il faut visualiser les sommets à conquérir pour être réellement capable de les atteindre.

Je ne suis pas une psychologue ni une intervenante sociale. Je suis une femme, une mère, une épouse qui a su, par la dépression, s'accomplir, s'enrichir et devenir avant tout une personne plus forte, plus épanouie, et donc plus heureuse. J'ai compris que la vie est courte, qu'il est important et même primordial de prendre le temps de vivre aujourd'hui.

Par conséquent, aujourd'hui est la journée idéale pour franchir des barrières, monter les marches une à une pour ainsi atteindre des objectifs trop souvent abandonnés. Il faut prendre le temps de sourire à une personne inconnue, de dire à sa famille et à ses amis combien ils sont importants et à quel point ils sont appréciés pour ce qu'ils sont, tout simplement. Il faut se regarder dans le miroir et savourer toutes ces belles bénédictions que la vie offre. Elles sont tellement nombreuses.

Je me permets de parler de la femme que j'étais, de ce que j'ai vécu avant et après la dépression. Beaucoup de changements ont été radicaux, enrichissants pour moi, pour ma famille et pour les gens de mon entourage.

Bienvenue dans ma vie
et bonne lecture !

1.

Qui suis-je ?

*M*on livre commence en vous présentant un portrait de la femme que je suis. Native de la petite ville minière d'Asbestos, en Estrie, j'y vis encore aujourd'hui. Toutefois, une grande partie de mon enfance s'est déroulée à Trois-Lacs, côté l'Oiseau Bleu (un centre de villégiature), à quelques kilomètres d'Asbestos. Je suis la cadette d'une famille de trois enfants et j'ai deux frères.

Pendant plus de trente ans, mon père a travaillé pour la fonction publique. Il est maintenant à sa retraite depuis plusieurs années déjà. Il a toujours été un homme très impliqué dans son milieu, soit avec l'Harmonie, un groupe de plusieurs musiciens, soit en siégeant sur divers conseils d'administration d'organismes variés, tels que le hockey, le baseball, le syndicat, etc. Étant un homme doté de beaucoup de leadership, il a presque toujours occupé des postes reliés à la présidence.

Ma mère, de son côté, a toujours été une femme au foyer, très généreuse de sa personne. Elle était continuellement présente pour nous. Tous les jours, elle était à la maison pour nous accueillir, nous préparer de bons repas, nous consoler, et plus encore. Elle faisait également beaucoup de bénévolat, particulièrement auprès des personnes âgées ou handicapées. J'ai donc grandi dans un milieu où le partage, le don de soi et le respect des personnes étaient des valeurs prioritaires.

Comme j'étais une fille très timide et craintive, je suivais mes parents partout dans leurs déplacements afin d'être avec eux le plus souvent possible. Ce mode de vie m'a permis de découvrir les bienfaits qu'apporte l'entraide et d'apprécier les gens. Qu'ils soient âgés ou handicapés, j'ai appris à les aimer, tout simplement.

Durant mon enfance, j'ai toujours eu beaucoup d'animaux de compagnie, tels que des chats, des chiens, des lapins, des hamsters, des perruches, qui ont nourri mon grand besoin affectif. Je leur donnais de l'amour et plein de caresses, et j'en recevais tout autant, à mon grand plaisir.

Toujours bien entourée de personnes aimantes, j'ai vécu une enfance heureuse. J'avais beaucoup d'amis, autant masculins que féminins, fait surprenant pour moi qui étais une jeune fille assez gênée.

Pendant toutes mes années scolaires, j'étais une élève ayant un comportement presque modèle. Le fait d'être une personne anxieuse retenait mon envie de faire quoi que ce soit qui aurait pu déplaire ou choquer mes enseignants. Cela dit, cette inhibition m'a incitée, d'une certaine façon, à faire presque tout ce qu'on me demandait. J'étais facilement manipulable et très naïve, car je croyais tout ce qu'on me disait et, bien souvent, cela m'a valu les rires d'autrui et même quelques humiliations.

Je réalise aujourd'hui que mon anxiété me condamnait à vivre dans une coquille très dure, me laissant prisonnière de mon esprit. J'étais captive de toutes ces peurs qui s'étaient ancrées dans ma tête et dans mon corps. J'ai été élevée par des parents qui avaient, eux aussi, des peurs et qui me les ont inconsciemment inculquées, telles que la peur de manquer d'argent, la peur de décevoir, la peur de ne pas arriver à l'heure, la peur de...

J'ai toujours été une fille anxieuse qui, au moindre regard d'une personne inconnue, s'imaginait rapidement des scénarios négatifs. *Pourquoi est-ce qu'elle me regarde ainsi ? Qu'est-ce que j'ai fait ou dit qui n'était pas correct ?* Affronter les gens représentait pour moi un combat quotidien. Lorsque tout allait pour le mieux, je n'avais aucun problème, je faisais mon petit train-train et c'était bien. Toutefois, lorsque j'étais confrontée à de petits conflits, aux difficultés de la vie, là, c'était différent. La machine s'emballait et je n'arrivais plus à la maîtriser. Je craignais toujours le pire. Je fuyais les endroits où je risquais de rencontrer des personnes avec qui je vivais de l'inconfort. Je me privais d'activités, de bons moments, bref de vivre à cause de ces peurs trop présentes, trop nombreuses.

En juillet 1991, j'ai été envahie par une émotion très intense qui m'était, jusqu'à ce jour, parfaitement inconnue et qui s'appelle *l'Amour avec un grand A*. Cette émotion était tellement présente dans tout mon être que je n'ai pas pu l'écarter. Je me suis donc permis d'écouter ma petite voix qui me dictait ce que je devais faire à ce moment-là, et voilà que Jean-Guy est entré dans ma vie. Quelques mois plus tard, nous nous sommes mariés. Par la suite, nous avons découvert ensemble les joies de la famille avec nos deux belles filles, aujourd'hui âgées de 18 et de 17 ans. Nous célébrerons nos dix-neuf années de mariage en 2011. Nous avons beaucoup appris en tant que couple et nous vivons chaque moment en nous donnant le droit d'apprendre et de grandir ensemble. Nous avons convenu de l'orientation de notre vie familiale en étant présents pour nos enfants, en basant nos choix sur nos valeurs et selon nos croyances personnelles. Nous sommes très heureux de ce que nous avons bâti avec notre famille. Notre fierté est surtout de permettre à nos filles d'être ce qu'elles sont, de leur démontrer tout le potentiel qu'elles possèdent et de leur permettre de l'exploiter.

Ma famille est l'une des bases essentielles dans ma vie et, sans elle, je ne pourrais pas être la femme que je suis et celle que je deviens.

2.

Vivre avec l'anxiété généralisée

À plusieurs reprises, tout au long de mon enfance, j'ai fait des crises d'anxiété, résultat de disputes avec mes amis, d'un examen que je ne me croyais pas capable de réussir ou pour lequel je n'étais pas prête, d'un devoir que j'avais oublié de faire, d'une activité sociale à laquelle je ne voulais pas assister, etc. Tout ce qui me stressait, m'angoissait, déclenchait en moi différents niveaux d'anxiété allant jusqu'à la crise de panique avec diarrhée, bouffées de chaleur, hyperventilation et perte de conscience.

Chaque fois, je croyais que c'était la nourriture qui me causait ces désagréments, car à ce moment-là, personne ne savait – moi encore moins que les autres – que je vivais de l'anxiété et qu'il s'agissait de crises. Je me souviens à quel point j'étais épuisée après chacune de ces crises. Je devais passer quelques heures de repos allongée, le temps de reprendre, tant bien que mal, mes sens. Pourtant, personne d'autre que moi n'était malade. Cette anxiété était bien présente dans mon esprit chaque jour. En réalité, l'anxiété était partie intégrante de ma vie, et même qu'elle gagnait en importance, sans que j'en aie conscience.

―――

J'avais environ un peu plus de 8 ans et mes frères devaient s'occuper de moi en l'absence de nos parents. Je me revois encore, assise seule sur le canapé du salon. Toute petite, si fragile, pleurant à chaudes larmes, tout simplement parce que j'étais dans l'attente du retour de mes parents. Je craignais le pire : j'imaginais qu'ils avaient eu un accident, qu'ils ne seraient plus là pour moi. Qu'allais-je devenir ? Qui s'occuperait de moi, de mes frères ? À ce moment-là, je ne savais pas que je vivais un stress intense et, surtout, bien réel dans mon corps. Lorsque mes parents sont enfin arrivés, je les ai serrés très fort dans mes bras tout en continuant de pleurer. Ma mère me consolait mais ne savait pas trop quoi faire ni quoi me dire. Mon père et mes frères, encore moins. La phrase cliché que les gens me disaient, et ce, encore aujourd'hui, était : Ben voyons, Christine, tu t'en fais pour rien, il n'arrivera rien. *Mais à l'âge de 8 ans, lorsqu'on vit de l'anxiété de séparation, je dois avouer que c'est très intense et très difficile à vivre.*

―――

Je me rappelle également un autre épisode très intense où j'ai eu à faire face à une peur à laquelle je n'avais jamais été confrontée. Elle a laissé en moi une empreinte profonde pendant de nombreuses années.

Alors que je suis âgée de 19 ans et que j'ai mon permis de conduire depuis quelques mois seulement, mon frère me demande si je veux bien essayer de conduire son véhicule à transmission manuelle. Comme il sera assis à côté de moi et qu'il sera là pour m'expliquer comment faire, j'accepte. Au début du trajet, le chemin est droit; tout va très bien, pas de problème, je suis très fière de moi et de mes aptitudes. Mon frère me guide ensuite vers une pente très abrupte. Je débute donc la montée sans trop de difficulté, mais voilà qu'en haut, il y a un arrêt. Au moment de repartir, je dois retirer mon pied de la pédale de frein; le véhicule se met à reculer et, malheureusement, il y a un autre véhicule derrière moi. Aussitôt, je remets le pied sur le frein. À cet instant, l'état de panique m'envahit. J'ai tellement peur de reculer sur le véhicule que je n'arrive pas à enlever mon pied de la pédale. Calmement, mon frère Christian me dit : T'es capable, la sœur, tu vas voir, ça va bien aller! *C'est terrible, j'ai chaud, mon cœur bat trop vite, mes respirations sont de plus en plus rapides et je me sens paralysée. RIEN NE VA PLUS! Voyant que je suis dans un état de profonde panique, mon frère fait signe à l'automobiliste qui nous suit de nous dépasser. Avec tout son calme, qu'il arrive à puiser je ne sais trop comment, il parvient à me rassurer de sorte que ma respiration redevienne régulière. Je réussis alors à* décoller *mon pied de la fameuse pédale de frein. Je reprends le contrôle de moi-même et, enfin, je parviens à démarrer. Mais dès qu'on arrive sur le chemin plat, je range le véhicule sur le côté et je lui demande de prendre ma place, car je suis littéralement épuisée.*

Quelques années plus tard, lorsque mon conjoint et moi avons acheté notre véhicule, qui était à conduite manuelle, me voilà confrontée de nouveau à cette peur. Il m'a fallu quatre années pour parvenir à gravir une côte où il y avait un arrêt en haut. Quatre années de détours pour ne jamais avoir à utiliser cette route qui me piégeait. Quatre années à planifier à l'avance mon trajet afin d'utiliser un chemin qui ne me donnerait ni sueurs ni palpitations rien qu'en y pensant. C'est long, je vous le concède, mais c'est le temps qu'il m'a fallu. Finalement, un bon soir, alors que j'étais seule sur la route, qu'il n'y avait personne derrière moi, je me suis dit: Vas-y Christine, t'es capable! *Je me suis engagée sur la côte, tel un énorme défi, le cœur serré, les mains moites, le souffle court, j'ai foncé et j'ai réussi! Des sentiments de bien-être et de fierté m'ont alors envahie. Ce fut tellement intense que je me sentais comme une enfant devant plein de cadeaux. Depuis ce jour, j'arrive à contrôler ma peur des côtes et à foncer; c'est merveilleux!*

Voici d'autres exemples de ce qu'a été pour moi l'anxiété.

Ce qui, pour certains, est une banalité peut créer chez moi un état de panique. Par exemple, rapporter un DVD en retard... Je cherche dans ma tête par quel moyen je pourrais éviter les réprimandes. J'ai mal au ventre, mes mains sont moites et le mal de tête s'installe. Pour les gens dits normaux, *c'est une peccadille, mais pas pour moi. Cela peut devenir un déclencheur de crise. J'essaie de me prendre en main. Je me dépêche d'aller remettre le DVD et je prépare ma réplique, au cas où...*

Une autre situation très intense pour moi à laquelle j'étais souvent confrontée, c'était les retards de mon mari.

Un jour, mon mari rentre plus tard que prévu de son travail. La machine, c'est-à-dire mon esprit, s'emballe à nouveau rapidement et je n'arrive plus à la contrôler. Au lieu de penser, ne serait-ce qu'une seconde, qu'il est peut-être en retard pour différentes raisons (il a rencontré un ami, il a été retenu au travail), je me laisse emporter par un vent de panique. J'imagine que les policiers vont venir m'apprendre qu'il a eu un accident, qu'il est gravement blessé ou même décédé. Que vais-je devenir sans lui? Comment vais-je faire vivre ma famille? Et ça n'arrête plus. Lorsqu'il arrive enfin, c'est avec un mélange de sentiments intenses que je l'accueille. Il est ébahi et il n'arrive pas à comprendre le pourquoi de ma réaction. Il me prend dans ses bras, me réconforte du mieux qu'il peut, tandis que, moi, je pleure de soulagement comme une enfant. Je laisse sortir tout ce stress intense, cette énergie négative, qui s'était permis d'envahir mon esprit et mon corps. Dans ces moments-là, lorsque la crise est terminée, mon corps est épuisé, vidé de toute énergie.

Mais l'une des expériences que j'ai vécues et qui a été pour moi l'une des plus difficiles est survenue lors de ma deuxième grossesse. L'anxiété m'a envahie et m'a amenée à faire de nombreux cauchemars, mais aussi à vivre un enfer éveillé.

Lorsque j'ai appris que j'étais enceinte de nouveau, quel a été notre bonheur à toute la famille puisque c'était notre rêve et que nous tenions tellement à donner un petit frère ou une petite sœur à Johannik. Mon ventre commençait à grossir, et mon anxiété à s'installer. Comme plusieurs femmes que je connaissais avaient perdu leur bébé à moins de douze semaines de grossesse, je m'en voulais presque de porter ce petit être en moi. Je le voyais déjà mort dans mon ventre, ne lui donnant pas le droit de se développer. J'ai consulté le gynécologue sans lui avouer toutes ces craintes qui s'étaient permis de s'infiltrer dans mon esprit. Constatant mon insécurité, il m'a aussitôt rassurée en me disant qu'il n'avait jamais perdu un bébé après avoir entendu son cœur battre. Nous avons alors écouté son cœur et j'en ai été absolument bouleversée. À mon retour à la maison, je ne pouvais plus contenir mes larmes, je n'arrêtais plus de pleurer tellement j'étais heureuse et soulagée. Je me croyais alors libérée de mes inquiétudes, mais je m'étais trompée, car peu de temps après s'est installée la peur de donner la vie à un enfant handicapé. Les cauchemars étaient de plus en plus fréquents et de plus en plus perturbants. Encore une fois, je n'en parlais pas, je gardais tout ça en moi, et mon Dieu que c'était difficile! Finalement, en décembre 1993, ma petite Julyanne a fait son entrée dans notre vie, en parfaite santé, libérant par le fait même toutes ces craintes qui avaient miné mon moral et mon énergie.

Une autre période très difficile pour moi a été la rentrée scolaire de Johannik, ma fille aînée.

Johannik a débuté l'école à temps plein alors qu'elle venait tout juste d'avoir 5 ans. Elle connaissait des difficultés chez la gardienne, bien qu'elle l'aimât beaucoup, et j'appréhendais le début de sa vie scolaire. Je visualisais son manque d'efforts, ses crises de larmes, ses refus de coopérer ou de s'adapter à de nouveaux amis, etc. J'ai commencé à nourrir mon anxiété en mars 1997. Je tenais à lui lire des histoires parlant des plaisirs qu'apportait l'école. Aujourd'hui, je me demande pour qui je lisais ces histoires: pour elle, qui avait un besoin naturel de se faire des amis, ou pour moi, qui avais besoin d'être rassurée afin de ne pas m'imaginer le pire. La rentrée scolaire s'est plutôt bien déroulée. À quelques occasions, il lui est arrivé de ne pas vouloir aller à l'école, mais grâce au milieu scolaire où les enfants sont bien encadrés, les choses ont bien démarré. Je l'aidais comme je le pouvais, avec les moyens que j'avais.

Elle-même, à plusieurs occasions, m'a rassurée en me conseillant de ne pas m'en faire, car elle était une grande fille de 5 ans et que je pouvais lui faire confiance.

C'était comme un geste inconscient: j'avais habitué mon subconscient à créer chez moi une certaine anxiété qui, parce que cette dernière m'amenait à trouver sans cesse des solutions aux problèmes non réels, me laissait croire que, si je ne vivais pas ce stress, ce serait encore pire. Je me devais d'inculquer à mon esprit que j'avais la force morale et physique de confronter un problème lorsqu'il se présenterait, s'il se présentait. Il fallait me détendre, prendre du recul et penser à ce que je vivais dans le moment présent. Je suis une femme qui a du potentiel et qui ne demande qu'à l'exploiter.

Lorsqu'on côtoie une personne anxieuse, il est important de ne pas la juger, de ne pas lui dire qu'elle exagère, car c'est très frustrant et elle n'aura pas envie de s'ouvrir à nous. L'aimer, la respecter dans ce qu'elle vit et, surtout, ne pas lui conseiller ce qu'elle doit penser; c'est à elle de le faire, c'est son esprit. Comment peut-on juger les gens sans avoir marché dans leurs souliers? Peu importe ce qu'ils vivent et comment ils désirent le vivre, cela leur appartient, et c'est à eux d'utiliser les outils qu'il leur faut. On peut certes leur ouvrir des portes, mais on ne peut pas les pousser pour qu'ils y entrent. Un jour viendra où ils devront faire face à leur incapacité, quelle qu'elle soit, mais ils devront faire eux-mêmes les premiers pas.

Offrir un câlin, être à l'écoute, ne pas juger l'autre, ce sont là de petits gestes mais tellement importants pour la personne qui vit l'anxiété ou la dépression. Pour ma part, ce sont des façons concrètes, et pourtant bien simples, qu'il est important de ne pas mettre de côté.

L'un des rares conseils que je peux me permettre d'apporter à la personne anxieuse ou dépressive, c'est d'aller rencontrer des personnes qui pourront l'aider, la guider, soit par le biais du CLSC (Centre local de services communautaires), ou d'un organisme en santé mentale, ou encore des lignes d'écoute ou autres, afin qu'elle puisse apprendre à vivre le moment présent, être plus heureuse et se sentir plus confortable.

Par le passé, je ne me permettais pas d'être moi, je ne disais jamais ce que je pensais par peur d'être rejetée, de ne plus être aimée. Combien de fois me suis-je surprise à avoir des crampes dans le ventre et/ou des maux de tête simplement parce que je n'avais pas su m'écouter, parce que j'avais dit oui à une demande que je ne voulais pas accepter. Combien de fois me suis-je sentie non respectée alors que je ne me respectais pas moi-même. J'étais incapable de dire ce que je pensais, de m'affirmer, de dire *non, je ne suis pas intéressée* ou *non, ça ne me tente pas*, etc.

Je sais toutefois que j'ai subi, pendant de trop nombreuses années, les conséquences de mes choix, de ne pas avoir pris ma place, de ne pas m'être respectée dans les décisions qu'il me fallait prendre, et ce, peu importe mon âge ou la situation.

Eh oui, j'étais une personne anxieuse (une fillette, une jeune femme, puis une mère) aux prises avec ce stress intense qui, jusqu'à dernièrement, me permettait de faire plein de choses que je n'aurais peut-être pas faites sans lui – du moins, c'est ce que je croyais. Jusqu'à un certain point, lorsque je ne ressentais pas ce stress qui accompagnait mon anxiété, j'étais persuadée que j'échouerais ou qu'il m'arriverait quelque chose de négatif. J'étais certaine que j'avais besoin de cette énergie négative qui me faisait imaginer le pire afin de pouvoir déjà me préparer à le régler avant même qu'il puisse se produire.

3.

Des choix à faire

J'ai vraiment découvert que j'avais des problèmes lorsque j'ai quitté mon emploi en juin 1994, où je travaillais depuis huit ans. La petite voix de mon cœur me dictait de rester à la maison avec mes deux petites filles (alors âgées de 2 ans et de 8 mois). Je voulais tellement être présente avec elles, car je savais que je ne pourrais jamais remplacer ces annés précieuses. Après en avoir discuté avec mon mari, j'ai décidé que c'était la meilleure chose à faire. Envahie par un stress très intense, j'ai rassemblé tout mon courage et j'ai appelé mon patron pour lui faire part de ma décision. Il a été très gentil et surtout très compréhensif, ce qui m'a beaucoup touchée. À ce moment-là, je venais de faire un choix important dans ma vie, celui de devenir une maman à la maison.

Aussitôt la conversation terminée, le stress que je m'étais imposé malgré moi était devenu d'une telle intensité que je me suis mise à avoir de très fortes douleurs qui me traversaient le ventre; j'avais terriblement mal. Je me suis rendue à la salle de bains et là j'ai senti que je n'allais pas bien du tout: j'avais une forte diarrhée, de grosses bouffées de chaleur, ma respiration était très rapide, je tremblais de tout mon corps et j'avais peur de m'évanouir. Je sentais que j'allais perdre connaissance et, comme nous étions chez mes parents, j'ai demandé à ma mère d'aller chercher mon mari. Il est arrivé à toute vitesse, ne sachant pas vraiment ce qui se passait. Il m'épongeait le visage avec une débarbouillette humide et il cherchait à comprendre ce qui n'allait pas. Je ne pouvais pas lui expliquer, car je ne comprenais pas, moi non plus. Encore une fois, on a cru qu'il y avait quelque chose dans la nourriture que j'avais de la difficulté à digérer... Pourtant, j'étais la seule de la maison à être malade! Pourquoi? Lorsque la crise s'est enfin calmée, j'étais épuisée, j'avais peine à me tenir sur mes jambes. Jean-Guy m'a prise dans ses bras et m'a transportée sur le canapé afin que je puisse reprendre mes forces et retrouver des couleurs. Je ne comprenais pas ce qui s'était passé! Pourquoi était-ce seulement moi qui avais ces symptômes? Je n'avais rien mangé de différent! Qu'est-ce qui se passait? Ma petite fille de deux ans était là à me regarder, impuissante.

À la suite de cette crise majeure, plusieurs autres ont suivi tout au long de l'année avec autant d'intensité. Toutefois, elles se produisaient la majorité du temps la nuit, vers deux heures du matin, en se déclenchant toujours avec les mêmes symptômes. Lorsqu'elles faisaient irruption, je réveillais mon mari qui m'épongeait le front et me réconfortait à sa façon. J'ai perdu connaissance à deux reprises et il était près de moi chaque fois. Après chacune de mes crises, je devais passer quelques heures à me reposer, tellement j'étais vidée de toute énergie.

Réalisant que ce n'était pas «normal» (je le mets entre guillemets, car je ne crois pas à la normalité), j'ai donc demandé à passer une coloscopie. Je n'avais rien, tout était normal, aucun problème de ce côté-là. Mes crises ne cessaient pas, alors j'ai poussé plus loin mes recherches. Je suis tombée sur une description de ce qui pouvait causer de fortes diarrhées et voilà que le mot *anxiété* a fait apparition dans ma vie. Je prenais connaissance des symptômes de crise: palpitations, sueurs, douleurs abdominales, tremblements, hyperventilation, peur de perdre conscience ou même de perdre la raison. J'ai donc décidé de me prendre en main, d'aller consulter afin de comprendre ce qu'est l'anxiété. J'ai appelé aussitôt le CLSC afin d'avoir un rendez-vous avec mon médecin. Son diagnostic est arrivé avec beaucoup de surprise : anxiété chronique.

J'ai ressenti un tel soulagement, car enfin je pouvais mettre un nom sur ce que je vivais depuis tellement d'années et qui n'avait jamais été diagnostiqué jusque-là. J'ai amorcé une première thérapie quelques semaines plus tard. Mon intervenante, une travailleuse sociale, était une femme formidable qui démontrait beaucoup de respect et de compassion. Elle était dotée d'une belle écoute et avait la capacité de bien expliquer, ce qui me permettait de comprendre aisément. Elle m'a donné des outils simples, par exemple une feuille sur laquelle je devais nommer mes émotions lorsque je commençais à subir les effets de l'anxiété. Je me devais d'inscrire la raison de ma crise, ce qui était réel et ce qui ne l'était pas. Cette façon de faire la différence entre les deux, de me parler et de me rassurer m'aidait à réaliser que j'étais capable de contrôler mes peurs et, de ce fait, d'éviter la crise. Je pouvais utiliser cet outil pour désamorcer la crise lorsque je la sentais venir. L'intervenante me guidait afin que je puisse gérer mon stress de façon à ne pas dépenser toute mon énergie avant même que le problème se soit présenté, s'il se présentait. Elle m'apprenait à faire confiance à la vie.

Le fait de sentir que je pouvais parler avec une personne qui était attentive à ce que je vivais et qui me proposait des pistes de solutions m'a procuré un bien tellement significatif. Ma thérapie a duré six mois, à raison de deux rencontres par mois. Ce fut pour moi le début d'une nouvelle aventure, celle de la découverte de la personne que j'étais et que je voulais connaître.

Je pensais et retournais sans cesse plein de trucs en même temps dans ma tête. Je n'avais pas le contrôle et c'était normal pour moi, puisque c'était ma façon de vivre depuis mon tout jeune âge.

Je côtoyais plusieurs personnes qui avaient dû traverser une dépression, à un moment ou l'autre. En les écoutant me parler, je réalisais que ce que je vivais, soit le fait de penser tout le temps à plein de trucs, n'était pas «normal». Pourtant, c'était plus fort que moi, il me fallait toujours tout planifier en pensant «au cas où». Même si j'étais consciente que je le faisais, je ne pouvais m'imaginer à quel point cela m'épuisait.

Lorsque je raconte ce que je vivais à cette époque, certaines personnes me demandent: «Pourquoi tu n'en parlais pas?» La réponse est simple: «Je ne voulais pas entendre le fameux: *Ben, voyons donc, Christine! Tu t'en fais pour rien.*» Dans ma tête et dans mon corps, ce n'était pas pour rien; c'était bien réel et je souffrais d'être si incomprise de mes proches, de mes amis, bref des gens que j'aimais.

Il m'a fallu traverser ces moments parfois difficiles, mais aussi certains qui ont été heureux, pour apprécier aujourd'hui ce que j'ai. Aux yeux de certaines personnes, je n'ai peut-être pas beaucoup. Cependant, lorsque je contemple toutes les bénédictions que j'ai reçues dans ma vie, elles sont très nombreuses et d'une telle valeur que même tout l'argent du monde ne pourra jamais les acheter.

L'année qui a suivi ma décision de quitter mon travail a été des plus éprouvantes pour ma famille et moi. Échec après échec, tout ce que nous tentions afin de nous en sortir financiè-rement échouait. Nous aurions voulu lâcher, mais il y avait tou-jours une lueur d'espoir qui pointait, alors nous décidions de continuer d'avancer et de croire en ce que la vie pouvait nous apporter de bon. C'est ainsi qu'en octobre 1995, nous avons pris tout le courage qu'il nous restait pour foncer. Mon mari s'est inscrit à un cours de soudure et j'ai décidé de monter ma petite entreprise d'aide-ménagère afin de permettre aux nou-velles mères de bien vivre leur allaitement et de récupérer plus rapidement. Je me disais que toute l'expérience que j'avais acquise avec mes trente-six mois d'allaitement pourrait sûrement aider d'autres familles! Dès que j'en ai eu l'idée, j'ai senti que cela fonctionnerait et que nous étions sur la bonne voie.

En janvier 1996, j'ai donc entrepris les démarches pour rencontrer un conseiller de la Corporation de développement de la région d'Asbestos (ce qu'on appelle aujourd'hui le Centre local de développement) afin de lui présenter mon projet de relevailles pour les mamans qui venaient d'avoir un bébé. Je voulais devenir une aide-ménagère au service des familles afin qu'elles puissent arriver à reprendre le dessus avec tout ce qu'implique l'arrivée d'un nouvel enfant. Ces familles seraient invitées à utiliser mes services pour l'entretien ménager de leur domicile. La responsable qui m'a reçue était une femme très gentille : elle a répondu à toutes mes questions, a pris le temps de m'expliquer ce que je devais faire, m'a télécopié les démarches à suivre pour monter mon plan d'affaires, et plus encore.

C'est donc armée de mon courage et de toute ma détermination que je découvrais petit à petit comment arriver à nous sortir de cette impasse financière. J'ai réussi à obtenir une subvention de 6 500 $, pour une durée de six mois. Quelle formidable nouvelle! Je venais de me prouver que moi, Christine Dubois, j'étais capable de me lancer en affaires! J'étais très fière de moi. Cependant, il me fallait passer à la prochaine étape : trouver mes clients. J'ai alors rédigé une lettre pour offrir mes services d'aide-ménagère à toutes les personnes que je connaissais, utilisant ainsi nos liens pour me bâtir un réseau de contacts.

Quelle ne fut pas ma surprise de constater qu'en moins de six mois j'avais réussi à atteindre l'objectif que je m'étais fixé sur trois ans! J'ai donc bâti ma petite entreprise comme je le désirais, en étant à l'écoute de ce que mon cœur me dictait et, surtout, en étant attentive aux besoins de mes clients. Je ne me retenais pas pour leur faire savoir comme je me trouvais choyée de les avoir comme clients, et pour leur mentionner à quel point je les appréciais. J'avais besoin de le faire et les résultats étaient des plus positifs, car je n'avais pas seulement des clients, j'avais surtout de bons amis. Comme j'étais la propriétaire de l'entreprise et que les demandes étaient présentes, j'ai décidé d'ouvrir un volet pour les personnes n'ayant pas d'enfant et les familles avec des enfants plus âgés qui désiraient s'offrir les services d'une aide ménagère.

Ce travail était pour moi la démonstration réelle de ce que je pouvais accomplir et réussir. Je me sentais appréciée sincèrement, et cela m'apportait une satisfaction qu'aucun autre emploi ne m'avait jamais procurée. Les difficultés financières se dissipaient peu à peu, la lumière entrait dans nos vies, comme c'était agréable! Mon mari aimait beaucoup cette nouvelle direction qu'il avait choisie, soit le métier de soudeur. Pour ce qui était de nos deux filles, elles vivaient très bien la situation. Elles aimaient beaucoup leur gardienne, une femme d'une grande sensibilité, très maternelle, douce et des plus compréhensives. Grâce à sa présence réconfortante et au fait qu'elle gardait Johannik et Julyanne chez elle, la tâche de diriger mon entreprise devenait beaucoup plus facile.

Évidemment, je me donnais à 200 % dans mon travail, tout simplement parce que j'aimais ce que je faisais. Le fait de savoir que, grâce à mon travail, mes clients pouvaient profiter de la vie, d'une plus grande disponibilité pour s'amuser et passer du temps avec leurs enfants me nourrissait. De plus, je voulais être à la hauteur de leurs attentes.

Mais voilà que, malheureusement, à vouloir trop donner trop vite, le manque de sommeil a commencé à se faire sentir une année plus tard, soit en juin 1997. L'adrénaline étant devenue mon stimulant principal, à un point tel que mon corps ne voulait plus suivre. J'allais alors entrer dans une phase amorphe, j'étais épuisée, autant physiquement que moralement.

Je ne dormais presque plus, je commençais mes journées à six heures pour les terminer, épuisée, à vingt-deux heures. Petit à petit, je me sentais descendre à nouveau. Sans le réaliser, je voulais être une *Wonder Woman*, et cela, au détriment de ma santé.

En fait, je voulais devenir pourvoyeuse pour ma famille, au même titre que mon mari, afin de nous offrir une meilleure qualité de vie. Je m'imposais alors plus de travail que je ne pouvais en faire. Je n'avais pas d'équilibre, je ne faisais que travailler et travailler, le jour, le soir, les fins de semaine. Je ne voulais tellement plus revivre cette période de disette que nous venions de traverser que je m'imposais un rythme au-delà de mes limites, de ma santé mentale et physique.

4.

La dépression

❦

En août 1997, soit un an et demi après avoir démarré ma petite entreprise, je tombais à nouveau dans un gouffre. Je n'avais pas su m'arrêter, prendre le temps de me reposer et, surtout, être à l'écoute de mon corps. De plus, la vie m'avait confrontée à diverses difficultés pour lesquelles je n'étais pas préparée. Je ne mangeais plus, je ne dormais plus, j'avais perdu du poids, je me sentais comme un *zombie* ambulant. Dans ma tête, ça ne fonctionnait plus très bien: mes idées étaient toutes confuses et je n'arrivais plus à me concentrer. Afin de comprendre ce qui n'allait pas, je me suis rendue à l'urgence, et voilà que le médecin m'a appris le diagnostic: «Vous faites une dépression.» Moi? La femme toujours de bonne humeur, dotée d'une énergie positive, je fais une dépression? Impossible! Et pourquoi moi? Comment ai-je pu en arriver à faire une dépression, moi qui suis si enjouée face à la vie? La dépression, n'est-ce pas l'affaire des gens négatifs?

À la suite de ce diagnostic, j'ai décidé de prendre un peu de recul et de m'accorder quelques semaines de congé.

En fait, je sentais depuis plusieurs semaines que mon corps n'allait pas, n'allait plus. Toutefois, j'avoue que je me croyais à l'abri. Mais voilà, je n'y étais pas! J'avais appris que *rien n'arrive pour rien*. Il y avait plein de bonnes raisons qui justifiaient ce que je traversais et je me devais de les découvrir. Je me sentais tellement inutile! Je n'arrivais même plus à faire les tâches ménagères chez moi, ni même à cuisiner. J'avais un grand besoin de dormir et dormir encore. Je me voyais dépérir, et les médicaments n'avaient pas les résultats attendus. Selon mon médecin, un mois environ devait s'écouler avant que je ressente un certain apaisement. Pendant cette période d'ajustement, j'étais toujours couchée, car je n'avais plus cette énergie qui m'animait jadis. J'avais même perdu la mémoire, moi qui avais un agenda imprimé dans la tête tellement j'avais besoin de tout planifier. À cause des effets qu'entraînait la dépression, je n'arrivais plus à me rappeler le nom des personnes que je côtoyais à l'occasion. Je devais toujours prendre des notes pour me souvenir. Lorsque j'essayais d'entretenir une conversation, c'était très difficile puisque j'oubliais souvent ce que je venais de dire quelques minutes plus tôt, tellement c'était mélangé dans ma tête. On aurait dit que ma tête était séparée en deux, que les deux hémisphères de mon cerveau ne pouvaient plus communiquer entre eux, ce qui me portait à être dans la lune ou à parler de façon confuse. Je me retrouvais prisonnière de ce corps qui m'appartenait, mais dans lequel je n'arrivais plus à être bien.

Je prenais conscience que j'avais un grand besoin d'aide, car j'étais en train de devenir une personne que je ne reconnaissais plus, et cela me faisait peur. De plus, je ne voulais pas laisser en héritage à mes filles cette anxiété pour tout et rien. Je voulais apprendre à vaincre mes peurs afin que, si elles aussi venaient à être aux prises avec cette maladie, je puisse leur apporter des outils (ma compréhension et surtout mon expérience) pour qu'elles soient bien dans leur peau et qu'elles mordent dans la vie.

Au bout d'environ quatre semaines, comme mon médecin me l'avait spécifié, j'ai commencé à ressentir peu à peu les effets bénéfiques que me procuraient les antidépresseurs : j'étais plus calme, plus sereine et, à mon grand plaisir, je pouvais, pour la toute première fois de ma vie, ne plus penser à tout en même temps. *Je permettais à ma tête de prendre un congé.* Dieu que c'était bon ! Je savourais cet instant et je réalisais le bien-être que peuvent ressentir les gens dits *normaux*. C'était vraiment formidable !

Toutefois, à mon grand désarroi, cette joie fut plutôt éphémère puisque, par ma faute, les crises de stress, comme je les appelais, ont ressurgi dans ma vie, dans mon corps et dans ma tête. J'avais pris l'habitude de me coucher tous les après-midi. Mais comme je voyais bien que ma petite fille de 3 ans s'ennuyait et qu'elle avait besoin d'amis pour socialiser et jouer, cela m'a poussée, une fois encore, à me dépasser et à mettre de côté mes propres besoins pour répondre à ceux de ma fille, en espérant que cela me ferait du bien, à moi aussi.

J'ai commencé à sortir avec elle tous les jours, accompagnée de l'une de mes copines et de son fils, négligeant ainsi de me reposer. Les répercussions se sont vite fait sentir. *Vlan!* Au bout de cinq jours, je me suis remise à pleurer sans vraiment savoir pourquoi. Ma tête n'arrivait plus à suivre, je devais obtenir de l'aide! J'ai donc contacté le CLSC et une dame très attentive et très douce m'a fait prendre conscience que, lorsque nous sommes en dépression, il est très important de nous reposer, de ne pas aller au-delà de nos propres limites et d'écouter les petits signes que nous transmet notre corps. Comme je voyais mon médecin quelques jours plus tard, elle m'a fortement suggéré de lui mentionner mon état, ce que j'ai fait. Croyant bien faire, ce dernier a changé mon ordonnance pour un médicament spécifique à l'anxiété : le Paxil. Encore une fois, j'ai dû attendre afin de voir si les effets seraient aussi formidables qu'avec le médicament précédent.

Le repos négligé m'a propulsée dans une phase très forte d'hyperactivité. Je ne me comprenais plus; je pensais et je parlais très, très vite, mon sommeil était de plus en plus perturbé et je ne pouvais pas deviner ce qui m'arrivait puisque tout cela m'était totalement inconnu. Je souffrais intérieurement et, surtout, je ne savais pas à qui m'adresser. J'ai même eu peur de devenir folle tellement tout allait vite !

Au tout début de cette phase très intense, une amie, qui arrivait de l'extérieur de la région, m'a demandé si je connaissais six tout-petits et leurs parents, car elle et son fils désiraient aller visiter le poste de pompiers d'Asbestos. Pour que cette visite soit possible, elle devait toutefois trouver au moins six à huit enfants pour former un groupe.

Cette demande, pourtant anodine, a déclenché en moi une stimulation que je n'avais jamais ressentie auparavant. J'étais alors guidée par une idée, un projet qu'il me fallait réaliser, non pas demain mais tout de suite. J'ai alors décidé que je devais fonder ici, à Asbestos, un club où les tout-petits et leurs parents, demeurant à temps plein à la maison, pourraient faire des activités ensemble, et ce, dans un endroit sécuritaire et bien adapté. Par ce projet novateur dans la région, je souhaitais répondre aux besoins de ma fille d'avoir des amis, et aux miens, qui étaient principalement de briser l'isolement qu'apporte le fait de rester à la maison. Je n'avais pas le choix de foncer; ce projet prenait forme dans ma tête, dans mon corps et dans toutes mes tripes.

J'ai donc vécu des périodes de stress très intense que je n'arrivais pas à maîtriser; en voici un exemple.

À la fin septembre, alors que je revenais d'une rencontre que j'avais organisée avec d'autres mères afin de créer le « Club Med des tout-petits », je savais et j'étais consciente que j'avais l'appui de plusieurs parents, mais je n'imaginais pas les embûches que j'aurais à surmonter, et cela me stressait au plus haut point. Je tremblais de tout mon corps, ma tête avait envie d'éclater tellement tout allait vite. Je n'arrivais plus à la contrôler. Je ne pouvais pas arrêter de penser à toutes sortes de choses. La nuit, je me couchais collée contre mon mari, croyant que ça allait passer, que j'allais réussir à m'endormir, mais ça ne fonctionnait pas. Mon corps était épuisé; ma tête, pour sa part, ne pouvait pas s'arrêter de faire du 250 km/h. J'ai senti que le meilleur moyen de me libérer serait de me lever et de tenter de me vider l'esprit et, par le fait même, de me permettre une pause, un temps d'arrêt. C'est lors de l'une de ces nuits passée debout que le besoin d'écrire, telle une thérapie, m'est venu.

Ce que je trouvais frustrant, c'était que mon état de mal-être ne paraissait pas et que, pour la majorité des gens, si une chose ne se voit pas, alors ce n'est pas grave. Je voulais tellement dormir, ne plus penser, retrouver cette paix ressentie avec mon premier antidépresseur. Je voulais tellement que tout ne se bouscule plus en même temps dans ma tête et, par le fait même, que je réussisse à m'endormir sans que je veuille tout faire tout de suite, toute seule, à tout prix.

Il m'était facile de percevoir, lors de mes sorties, le questionnement des personnes à mon endroit, notamment parce que je parlais aussi vite que je pensais, que je n'étais plus la Christine d'avant et que, surtout, les gens connaissaient peu, et connaissent encore mal, cette maladie qu'est la dépression. Ils nous regardent comme si nous avions une maladie contagieuse et plusieurs ont peur de l'attraper. Pour ma part, je n'ai jamais eu honte de faire une dépression, bien au contraire. Je le disais à qui voulait l'entendre, car j'étais en pleine période de transformation.

Je prenais du Paxil depuis deux semaines et je ne voyais toujours aucun changement, sinon que ma phase d'hyperactivité se maintenait. Le sommeil était pour moi un bienfait auquel je n'avais plus droit, car j'étais constamment hyper stimulée. C'était vraiment une situation incompréhensible pour moi.

Qu'est-ce que j'allais devenir? J'ai demandé à mon médecin de me prescrire des comprimés pour trouver le sommeil, ne serait-ce que quelques heures, mais voilà que le comprimé tant attendu n'apportait pas le soulagement souhaité. Cependant, je me suis rapidement rendu compte que deux comprimés me permettaient quelques petites heures de relaxation bien méritées. Malgré tout, je me questionnais. Combien de temps allais-je tenir à ce rythme?

Faire face à la dépression et réaliser de plus que je perdais le contrôle de mes pensées, de tout mon être était un sentiment terriblement angoissant. Je ne voyais plus de porte de sortie, j'étais terrorisée, car je ne savais pas si un jour je retrouverais la santé, si je pourrais dormir enfin et, plus que tout, si je pourrais reprendre ma vie en main. Je savais que les comprimés pour dormir n'étaient pas la solution idéale puisqu'on en devient vite dépendant, mais il me fallait trouver une solution, car j'étais de plus en plus épuisée.

Je me souviens d'avoir cherché à plusieurs reprises dans mon armoire à pharmacie ce qui pourrait m'aider à trouver le sommeil, car *je voulais dormir*. J'étais en manque de ce que pouvaient m'apporter quelques heures d'apaisement. Je cherchais, je cherchais mais, évidemment, je ne trouvais rien. Je retournais me coucher en souhaitant que tout cela ne soit qu'un mauvais rêve et que, bientôt, j'allais me réveiller de ce cauchemar. Malheureusement, ce n'était pas le cas. Chaque fois que je regardais mon réveille-matin, à mon grand désespoir, seulement quelques petites minutes s'étaient écoulées et je ne dormais toujours pas. C'était épouvantable! J'aurais tellement voulu crier, mais j'en étais incapable. Ma tête tournait, tournait encore, et je n'arrivais pas à faire quoi que ce soit pour l'arrêter.

La prise des médicaments aidait beaucoup, je l'admets. Cependant, j'étais consciente que je ne devais pas m'en remettre uniquement à ceux-ci, que je ne devais pas dépendre de cette forme de béquille pour arriver à guérir, qu'il me fallait faire mon bout de chemin, d'où l'importance qu'a prise la création du Club Med des tout-petits.

Ce projet de créer un club pour les tout-petits et leurs parents, qui devait être très simple à la base, a pris une telle ampleur, autant dans ma tête que dans ce que je voulais faire accomplir. Il me fallait sans cesse bâtir, réaliser plein de choses. Pourtant, je n'avais jamais été une fille fonceuse, mais là, c'était tellement fort que je n'avais pas d'autre choix que de me lancer et de foncer. Je me sentais propulsée vers des sommets que je voulais atteindre; alors je rassemblais tout mon courage et je faisais ce que me dictaient ma tête et mes tripes.

Le 1er novembre 1997, trois mois seulement après avoir reçu le diagnostic de dépression, je pouvais déjà affirmer que beaucoup de choses avaient changé dans ma vie. Entre autres, mon projet de club pour les tout-petits et leurs parents était tellement présent dans ma tête qu'il était devenu une obsession. Je ne pensais qu'à cela, qu'aux nombreuses activités que je pourrais faire, qu'à toutes les personnes que je devais contacter afin qu'elles participent, elles aussi, à mon Club Med des tout-petits. Je savais pertinemment que ce que j'entreprenais allait fonctionner, que je n'étais pas la seule mère qui voulait offrir à ses enfants une meilleure qualité de vie sans devoir les faire garder. Cependant, je souhaitais ardemment arriver à libérer mon esprit de ce projet afin de vivre le moment présent!

Je m'épuisais de plus en plus, n'ayant plus le contrôle de mes pensées ni même de mes actions. J'étais là, avec mes filles et mon mari, mais seulement de corps. Mon esprit était tellement absorbé par le Club Med des tout-petits que je ne pouvais plus répondre aux demandes de ma propre famille. Certes, je m'occupais de mes deux filles, mais je ne pouvais leur dispenser que les soins de base. Je faisais les choses machinalement. Chaque pas, chaque repas, chaque minute me demandaient un surplus d'effort. Je devais avancer lentement, en montant les marches une à la fois, et ce, quotidiennement, pour ainsi me permettre d'être simplement là. Je n'avais plus ma capacité physique de jadis, je n'avais plus cette énergie et ce dynamisme qui me caractérisaient: j'étais tout simplement propulsée dans un projet novateur qui se devait de voir le jour, coûte que coûte.

Mes filles semblaient, vu leur bas âge, vivre assez bien la situation. Le fait de participer aux activités que j'organisais grâce au Club Med des tout-petits, de jouer avec des amis de leur âge semblait très bien les satisfaire. Mon mari s'efforçait de comprendre ce que je vivais en m'accompagnant dans cette poussée inattendue d'énergie pour un projet qui avait pris place dans ma vie. Il trouvait plus respectueux de m'aider à avancer que de m'empêcher de réaliser ce projet. Pour lui, ce n'était pas une priorité que le ménage de la maison soit fait: l'important était de répondre aux besoins de Johannik et de Julyanne. C'est ainsi que, lorsqu'il arrivait de son boulot, il jouait avec elles, leur donnait le bain, allait les border, etc. Il devait en plus faire les tâches ménagères pour lesquelles je n'avais aucune énergie. Tout au long de cette période, et encore aujourd'hui, l'essentiel pour lui résidait dans le maintien de la relation familiale, qu'elle puisse évoluer et grandir à travers cette période difficile.

Je me souviens aussi de l'un des effets de la dépression. Mes mains tremblaient beaucoup et lorsque cela se produisait, j'étais très mal à l'aise, je les cachais en espérant que les tremblements s'arrêtent. Les gens me regardaient et je pouvais sentir leur questionnement sur ce qui se passait avec moi. De plus, j'avais les mains moites, la bouche presque toujours sèche, de la difficulté à entretenir une conversation ainsi que des problèmes de concentration. Je ne comprenais pas bien tout ce que je vivais, mais je savais que j'étais la seule personne qui pouvait changer les choses et que, si je ne faisais rien, je n'y parviendrais jamais. Peu importe les thérapies, les antidépresseurs ou autres, si je ne mettais pas d'efforts pour changer ma façon de percevoir ma vie, et la vie en général, rien ne changerait.

Cependant, j'étais toujours aux prises avec mon hyperactivité qui prenait de l'ampleur. Mon projet était tellement présent dans ma tête que je me trouvais prisonnière dans un corridor, car je n'avais d'énergie que pour le Club Med des tout-petits.

J'ai finalement décidé de questionner mon pharmacien sur les effets du Paxil. J'ai été très surprise d'apprendre que, dans certains cas, ce médicament permettait aux patients de retrouver un état de relaxation, alors que cela pouvait être tout le contraire pour d'autres et causer une hyperactivité. Je me suis tout de suite sentie interpellée et j'en ai avisé mon médecin qui m'a aussitôt remise au Zoloft.

Comme j'en avais marre! Je croyais ne jamais arriver à trouver un moment de répit. Tout allait tellement vite! Je n'étais plus maître de rien, je subissais la pression que ma tête m'imposait et je ne savais plus quoi faire pour m'en sortir. C'est d'ailleurs à cause de cette période difficile à laquelle j'étais confrontée que j'ai entrepris une deuxième thérapie. J'allais donc rencontrer sur une base régulière mon intervenant, un travailleur social, qui m'aidait énormément. Il me faisait réaliser que, bien que j'aie eu un gros travail à faire, je pouvais y arriver. Il avait confiance en moi. Il était tellement calme que le seul fait d'être en contact avec lui m'apaisait et me faisait me sentir mieux.

Graduellement, je réalisais que la personne qui pouvait faire le plus pour moi, c'était moi-même. Oui, je voulais changer! Oui, je voulais enfin être bien dans tout mon être. Je savais que je ne pouvais plus vivre ainsi. Je me regardais dans le miroir et je ne me reconnaissais plus. Je me devais de poser une action concrète et aller de l'avant. Je voulais arriver à trouver un temps d'arrêt, arriver à aimer la femme que je devenais et, surtout, croire que je pouvais m'en sortir. J'étais consciente que le travail serait ardu. Toutefois, j'étais prête et disposée à mettre tous les efforts pour m'améliorer et arriver à dévoiler enfin cette personne qui, depuis trop longtemps, se cachait derrière ses peurs.

Grâce à mon mari, à mes deux filles, j'étais plus forte. Cette force, je la sentais autour de moi chaque fois que leurs bras me serraient et qu'ils me disaient, dans leurs mots: «Maman, je t'aime très fort» ou «Tu es ma maman d'amour». De mon côté, je voulais leur exprimer comment je me sentais, mais je ne trouvais pas d'autres mots que: «Maman, ça ne fonctionne pas bien dans sa tête».

Écrire ce que je ressentais est rapidement devenu une délivrance; cela me permettait de communiquer librement, de croire et d'espérer que la personne qui lirait mon histoire saurait mieux comprendre les autres qui sont anxieux et/ou dépressifs. De plus, j'osais souhaiter très fort que ce lecteur, s'il advenait qu'il s'agisse de quelqu'un d'anxieux, puisse se dire qu'il n'est pas seul, qu'il peut partager sa peine et sentir que je peux le comprendre.

Lors de mon cheminement, j'ai admis que l'opinion des gens à mon sujet occupait une place importante dans ma façon d'être et d'agir. J'ai dû arriver à briser cette chaîne, car je ne voulais plus être prisonnière. Je n'avais tout simplement plus le goût de plaire aux autres; je devais en tout premier lieu me plaire à moi-même et me donner enfin le droit d'être moi.

La dépression m'a permis de réaliser que, lorsque nous sommes une personne anxieuse, vivre une journée à la fois est un défi en soi. Nous ouvrir et laisser savoir aux gens que nous aimons ce que nous vivons constituait encore là toute une étape. Si je voulais m'en sortir, je devais d'abord prendre conscience que j'avais un problème et, par la suite, aller chercher de l'aide auprès de ressources en lesquelles j'avais grande confiance. Je me devais de croire à la vie, à toutes ces belles et nouvelles expériences qui me permettraient de m'accomplir tout en m'ouvrant à mes propres forces intérieures que je ne savais pas posséder.

Il me fallait arriver à maîtriser mon esprit et non plus à me laisser contrôler par lui. J'étais la seule à posséder les rênes de ma vie, alors c'était à moi de me donner le droit de vivre comme je croyais bon de le faire et de façon à ce que je puisse trouver le bonheur, mon bonheur. J'aimais prendre conscience que, tout au long de ma vie, je rencontrerais et côtoierais des personnes qui auraient toutes quelque chose à m'apprendre, peu importe le temps qu'elles resteraient dans ma vie. Qu'elles soient présentes un court moment ou pendant toute ma vie, elles me permettraient toujours d'apprendre d'elles, sur moi et de moi.

Il n'était pas facile d'ouvrir les portes de mes émotions pour expliquer ce qu'étaient et ce que sont encore certaines de mes peurs, car je vivais dans une petite ville minière où beaucoup de gens me connaissaient. Mais c'était plus fort que moi : je ne pouvais plus garder ce secret, j'avais besoin de lever le rideau et de leur faire découvrir enfin qui j'étais, quelle femme je devenais ! J'en avais marre de craindre le pire qui n'arrivait pas. Je voulais me bâtir un avenir meilleur, réussir de tout mon cœur à faire face aux épreuves, à régler les problèmes lorsqu'ils arriveraient, s'ils arrivaient. Ma devise que *rien n'arrive pour rien* avait pris encore plus de sens dans ma vie. Je ne pouvais pas croire que les épreuves que j'avais traversées étaient là pour me détruire, bien au contraire ! J'étais convaincue qu'elles me feraient grandir si je le voulais vraiment et le souhaitais très fort. Cette perception des difficultés m'avait beaucoup aidée durant les larmes et la tristesse. Je pouvais aller puiser un apprentissage de la vie qui me permettait de grandir et de découvrir de nombreuses destinations futures.

Lorsque je partageais avec les personnes rencontrées que je vivais une dépression, je pouvais lire facilement sur leur visage et percevoir dans leurs yeux une grande surprise, mais surtout un malaise. Toujours cette croyance que la dépression est une maladie contagieuse et qu'elles pouvaient l'attraper, bien que n'importe qui puisse en être affligé ! Leur incompréhension face à la dépression ne me touchait pas, car, contrairement à ces personnes, je me trouvais choyée de vivre cette maladie, malgré les périodes très difficiles que je vivais. Au cours des années, j'ai aussi appris que mon corps m'avait fait le plus beau cadeau en me frappant ainsi avec la dépression. Il ne pouvait plus supporter tout ce stress que je lui imposais, alors il m'a acculée au pied du mur pour permettre que plein de belles découvertes s'ouvrent à moi.

À l'occasion, je pouvais dire avec fierté que j'étais très heureuse, que j'allais de mieux en mieux : je ne tremblais presque plus et je commençais à relaxer. Je tiens à rappeler que j'ai profité de cette période de grand stress pour mener à bien mon projet du Club Med des tout-petits, sur un chemin meilleur et j'en suis toujours très fière.

Les effets apaisants du Zoloft ont repris le dessus, j'arrivais à être plus calme et je retrouvais le sommeil. Je pensais beaucoup moins vite et ma tête tournait de moins en moins. J'étais bien et je l'appréciais. Je ne veux pas dire que le fait de prendre des médicaments soulage nécessairement tout le monde mais, dans mon cas, la réussite fut totale. Il est vrai que je voulais m'en sortir, que je lisais beaucoup, que je changeais plusieurs choses dans ma vie, dont ma perception même de celle-ci. C'est ainsi que j'appréciais plus ce que j'avais en guise de bénédiction. J'étais convaincue que vivre normalement était, pour ma part, un objectif que je voulais atteindre rapidement et que j'étais sur la bonne voie.

D'ailleurs, j'avais écrit une lettre à tous les clients de mon entreprise d'aide-ménagère pour leur mentionner que je ne retournerais pas travailler pendant un bon bout de temps, car j'avais un grand besoin de repos. Je ne pouvais pas nier que j'avais des craintes de revivre des difficultés similaires à celles que j'avais dû traverser lorsque j'avais quitté mon emploi antérieurement, mais j'avais besoin de me retrouver, de reprendre confiance en moi, en mes capacités physiques et mentales. J'étais consciente, et mon mari aussi, qu'un seul salaire nécessiterait des concessions. Cependant, comme je n'étais pas en condition de retourner travailler, il a fallu nous serrer les coudes ; nous devions nous permettre cette diminution de notre revenu familial. Je ne voulais pas me culpabiliser à cause de mon grand besoin de me retrouver, de faire le plein d'une énergie positive et d'apprendre à vivre une journée à la fois.

Il m'est arrivé à plusieurs occasions de perdre le moral, d'avoir le goût de lâcher, de manquer de *guts*. J'ai été chanceuse, car mon mari me prenait dans ses bras et me serrait très fort pour me dire: «Ne lâche pas, Christine, je suis avec toi.» J'avais juste besoin de ce petit coup de pouce pour me retrousser les manches et poursuivre mes objectifs. Ce qui m'aidait aussi était de repenser à ces deux personnes très inspirantes et positives qui ont toujours cru en la vie: mes deux grands-mères. Jamais elles ne se plaignaient malgré leurs nombreux problèmes ou leurs maladies. Elles ne nous donnaient pas le droit de ressentir de la pitié pour elles. Lorsque nous les visitions, nous étions reçus avec le sourire et c'était dans une ambiance de joie et de positivisme que nous échangions.

D'ailleurs, je me souviendrai toujours d'une visite que nous avions faite à ma grand-mère paternelle quelques jours avant sa mort. Il y avait une affiche sur la porte de sa chambre qui indiquait *Sourire obligatoire*. Elle nous avait alors souhaité à tous une très belle journée d'anniversaire puisqu'elle savait qu'elle ne serait plus là pour le faire au moment opportun. Elle m'a laissé un bel héritage que jamais l'argent ne pourra acheter, soit celui de voir la vie en étant positive, peu importe ce que j'aurais à traverser, et de ne jamais me laisser abattre quoi qu'il arrive et de garder toujours le sourire.

Ma grand-mère maternelle nous a quittés en août 1997. Elle aussi m'a légué, en plus de sa force morale, son amour pour autrui. Cette femme donnait sans compter, aimait sans juger et, surtout, elle était là, bien présente dans nos vies. Je ne l'ai jamais vue monter le ton, s'énerver ou se laisser aller à quelque accès de colère. Elle était dotée d'une patience d'ange, d'un amour tellement grand qu'elle avait fait siens la compréhension et le respect. Elle était une petite femme toute délicate et, pourtant, si forte intérieurement: elle possédait une grande foi et cette belle sagesse qui faisaient d'elle une femme admirable.

5.

Les effets de la crise du verglas

En janvier 1998, une partie du Québec a connu une période de grande noirceur due à une panne d'électricité majeure de grande envergure causée par une perturbation qui s'est transformée en verglas pendant quelques jours d'affilée. *La crise du verglas* a causé des dommages très importants: des milliers d'arbres ont été brisés, des pylônes d'Hydro-Québec ont été tordus sous le poids de la glace. Des villes entières ont dû vivre sans électricité et des milliers de familles ont été privées de cette ressource essentielle qui, jusque-là, était un service qu'on tenait pour acquis. Ce qui était bizarre, c'est que nous, à Asbestos, nous avions de l'électricité alors que les alentours en étaient privés.

Ma famille et moi étions allés constater l'ampleur des dégâts. C'était affligeant, nous n'en revenions pas de voir tous ces arbres brisés, de savoir nos proches et nos amis prisonniers de cette noirceur alors que nous étions au chaud avec tout ce dont nous avions besoin. Je pleurais en constatant l'envergure de cette crise. Je voulais tellement les aider, mais comment?

Comme le Club Med des tout-petits était opérationnel et que nous avions réussi à amasser quelques sous, j'ai donc décidé d'organiser un dîner de hot dogs au club. J'ai contacté toutes les mères utilisatrices, j'ai trouvé des poêles électriques, j'ai fait les achats nécessaires, mais voilà que seulement deux mères ont répondu à mon invitation! Cela m'a causé un vide intérieur incroyable. J'ai beaucoup pleuré, car je n'arrivais pas à comprendre qu'elles aient refusé mon aide. Je voulais tellement témoigner à mes amies du club que nous étions là, que nous les encouragions. Toutefois, j'en ai tiré une belle leçon: j'en fais parfois trop.

J'ai réalisé que, trop souvent, je voulais tellement éviter aux personnes que j'aime d'être confrontées aux difficultés de la vie que je devenais trop sensible à leurs besoins, ne sachant pas les écouter réellement! Il me fallait croire que, dans ce cas-ci, mes amies et leurs familles s'étaient très bien organisées. Je devais leur faire confiance et accepter le fait de devoir attendre qu'elles me demandent de l'aide, qu'il ne me fallait pas m'imposer. Elles savaient très bien que j'étais là, alors je ne pouvais rien faire de plus.

Je me dois de mentionner qu'une bonne amie, qui s'était fait un devoir d'être présente, a beaucoup apprécié mon geste. Carole, une personne vraiment gentille, participait à tous mes projets et partageait avec moi sur plusieurs sujets. Bien que je l'aie connue depuis plusieurs années, nous avions repris contact grâce au Club Med des tout-petits. Son soutien, ses grosses accolades, ses petites tapes dans le dos étaient, et sont encore, des petites douceurs qui me font toujours beaucoup de bien, car elles me permettent de réaliser la chance que j'ai d'être aussi bien entourée.

Cette situation m'amène à parler de l'amitié et de la sincérité. Vivre la dépression et en subir les inconforts m'a permis de faire un survol de ce qu'avait été ma vie et de ce que j'avais à tirer de ces expériences auxquelles j'étais confrontée tous les jours. J'avais pris conscience que j'étais une personne vraiment choyée et bénie par la vie.

Chacune des personnes extraordinaires qui se trouvent sur ma route m'a apporté et m'apporte encore aujourd'hui de nouvelles connaissances. Je me permets de puiser en elles une force, une énergie qui me soutiennent et me permettent d'avancer. Grâce à elles, j'apprends la simplicité, la force de caractère, la générosité et plus encore. Ce sont toutes des personnes très précieuses pour moi et j'essaie de prendre le temps de leur témoigner et de leur rappeler le plus souvent possible à quel point je les apprécie.

Au club, j'ai pu créer des liens sincères. Nous prenions plaisir à discuter de ce que nous vivions en tant que femmes, mères et épouses; c'était très réconfortant et apaisant. Nous étions vraiment une bonne équipe, soit plus d'une vingtaine de mamans chaque semaine.

Constater que de plus en plus de mères se joignaient à notre club m'amenait à croire que ce que j'avais bâti était essentiel pour plusieurs d'entre nous et qu'il s'agissait d'un service important qui se devait d'être implanté à Asbestos. Le concept du club Med m'avait permis d'ouvrir toutes grandes les portes à de nouvelles rencontres, autant avec les mères qu'avec leurs enfants qui avaient tous beaucoup à offrir.

Certains me considéraient un peu naïve parce que je ne croyais pas possible qu'une personne n'ait que des défauts. J'aimais apprendre à connaître les gens que je côtoyais. J'aimais ce qui les différenciait et j'appréciais le bon qui se dégageait d'eux, vraiment et sincèrement.

Au cours des années, j'ai remarqué que j'avais eu à côtoyer à l'occasion des personnes qui dévoraient, peut-être sans même le réaliser, beaucoup de mon énergie simplement parce qu'elles étaient négatives et qu'elles se croyaient seules aux prises avec des difficultés.

Nous connaissons tous au moins une personne qui se plaint constamment, mais qui ne fait rien pour modifier quoi que ce soit dans sa vie. Trop souvent, je prenais ces gens en pitié. Je voulais tellement les aider à s'en sortir que je m'appropriais leurs problèmes et je faisais tout en mon pouvoir pour essayer de les aider. Cependant, ils ne voulaient pas utiliser les outils que je leur proposais. Je pensais beaucoup à eux, essayant sans cesse de trouver des solutions à ce qui les rendait tristes ou vulnérables. Tardivement, j'ai découvert que, peu importe ce que je disais ou faisais, ces personnes étaient bien dans ce qu'elles vivaient et que je ne devais plus m'en faire pour elles. Les choix qu'elles faisaient ne m'appartenaient pas et ne m'avaient jamais appartenu. Je ne pouvais rien faire pour que leur vie change si elles, d'abord, ne voulaient pas prendre les moyens de la modifier afin de grandir et devenir des personnes entières et fières d'avoir réussi à surmonter leurs obstacles quotidiens.

Je me devais de tirer avantage de ces expériences afin de ne pas me faire prendre à leur jeu. J'ai donc appris à être plus à l'écoute de mes sentiments. Lorsque la petite voix de mon cœur me fait signe et me montre un autre chemin afin de ne pas être en contact avec une personne dont les ondes sont négatives, je l'écoute et je reste plutôt disponible aux amitiés sincères et précieuses.

Réussir à écrire ce que je ressens m'oblige à revivre de beaux moments, mais aussi des moments difficiles de ma vie, et à retirer le positif de chacune de mes expériences. Je suis également fière de ce que j'ai vécu, car aucune de ces épreuves n'a été mise sur ma route pour me détruire, mais bien pour me permettre d'apprendre et d'acquérir de la sagesse, et cela, chaque jour qu'il m'est donné de sourire à la vie. Si je regarde le chemin que j'ai parcouru depuis la petite fille qui faisait beaucoup pour ses amis par peur de les perdre, je constate avec joie que je suis devenue une femme qui n'a plus peur de s'affirmer et de dire tout haut ce que bien des gens pensent tout bas.

«PERSONNE NE MÉRITE MIEUX D'ÊTRE AIMÉ PAR MOI QUE MOI-MÊME.»

Combien de personnes ont dit, écrit ou cité : *Si tu veux réussir à aimer les autres, commence avant tout par t'aimer toi-même.* Pourtant, il est bien plus facile d'arriver à aimer les autres comme ils sont que de nous regarder dans le miroir et d'être fier et en harmonie avec ce que projette notre reflet ! « Je me trouve trop grasse », « J'aurais du poids à perdre ici et là », « Je n'aime pas mes cheveux », etc. Bref, il y a toujours quelque chose que je voudrais modifier afin de ressembler à la personne que je voudrais être inconsciemment plutôt que de travailler sur celle que je suis déjà. Heureusement, il y a encore en moi plein de forces que je ne connais pas et que je dois découvrir et exploiter.

Nous pouvons laisser les gens croire que nous arrivons à nous aimer simplement parce que nous le disons. Toutefois, lorsque nous nous aimons réellement, nous n'avons pas besoin de le dire, car les gens le sentent et sont attirés vers nous, pour notre plus grand bonheur. C'est alors que nous sommes en parfaite harmonie avec nous-mêmes.

Lors de l'une des dernières rencontres avec mon intervenant, il m'a demandé comment je voulais que les gens réagissent devant ce que je vivais. J'ai répondu que, d'abord, ils ne devraient pas me juger, mais plutôt essayer de se mettre à ma place afin d'imaginer ce qu'on peut ressentir lorsqu'on vit dans un corps prisonnier de la peur. Ils découvriraient sûrement que le fait de vivre avec des peurs – dont plusieurs sont paralysantes – n'est pas évident. Il est bien plus facile de se fermer les yeux que d'avoir à les confronter.

6.

Mon cheminement

*D*urant ma thérapie, mon intervenant m'a fait connaître la revue ATAQ, publiée par l'Association des troubles anxieux du Québec, qui m'a tout simplement subjuguée. Pour la toute première fois, je pouvais lire des témoignages de gens qui vivaient la même chose que moi. *WOW!* quelle bénédiction! Cette revue a été pour moi un outil très important. Le fait de parcourir ses articles et de constater que je n'étais pas la seule m'a apporté un bienfait inestimable. Par conséquent, lorsque j'allais à mon rendez-vous au CLSC, j'en prenais une copie et je me délectais de toute cette précieuse information. J'y puisais cette nouvelle énergie qui me donnait le courage de continuer, d'avancer et de changer ce que je pouvais changer. Le fait de pouvoir m'identifier à d'autres personnes représentait pour moi un soulagement, *enfin !*

Je pouvais faire comprendre à mes proches et à mes amis ce que je vivais avec d'autres mots que les miens. Je me permettais d'apprivoiser ce cadeau avec bienveillance et, surtout, avec compréhension pour moi-même. Je ne me sentais plus seule!

J'aurais pu voler tellement j'étais heureuse d'avoir entre les mains cet outil incroyable!

Grâce à mes thérapies, au livre que j'ai écrit, à ma famille et aux personnes qui m'entourent et que j'aime énormément, mais surtout grâce à ma détermination et à mon désir profond de m'améliorer, je ne me donne plus le droit de me sentir menacée lorsqu'une personne me regarde. Je n'ai plus à changer de place, ou à me diriger en vitesse vers la salle de bain pour vérifier si quelque chose chez moi ne va pas; qui sait, peut-être que cette personne aime mon chandail, me trouve jolie, ou bien qu'elle trouve que je suis mal coiffée, mal habillée, etc. Peu importe, je la laisse me regarder, car je suis et je deviens de plus en plus une femme exceptionnelle! Alors oui, cette personne, quelle qu'elle soit, peut poser sur moi son regard que j'accepterai, car j'ai maintenant confiance en moi. J'apprends à ne pas perdre le contrôle; par conséquent, ma réponse sera un sourire ou un simple signe de tête en guise de bonjour.

Je ne sais pas exactement l'effet qu'auront mes écrits. Toutefois, je sais que ce moyen que j'ai choisi pour me libérer m'a permis de ressentir un bien-être chaque fois que je prenais le temps de m'y mettre. Je ne doute pas du tout de l'impact qu'aura le contenu de mon livre sur les gens qui me liront, et qui découvriront ma perception de ce que m'offre la vie. Cependant, dans mon cœur, je sais que j'en ressortirai la grande gagnante, plus épanouie et surtout remplie d'une joie profonde, car je n'aurai pas le regret de dire: «J'aurais donc dû».

Je ne suis pas psychologue, psychothérapeute, travailleuse sociale ou quoi que ce soit dans le même domaine. Je suis simplement une femme bien ordinaire qui a vécu le stress intense lié à l'anxiété pendant de nombreuses années et qui a été *polie* par les expériences de la vie pour devenir, si je peux le définir ainsi, une pierre précieuse.

J'ai découvert également que je me nourrissais de tout ce qui touchait aux livres de croissance personnelle. Il est stimulant de découvrir que nous avons là, en nous, les ressources pour réussir, non seulement dans *la* vie, mais bien *notre* vie. Que si nous traversons une période de grandes difficultés, nous en sortirons grandis ou détruits, le choix nous appartient. Certes, plusieurs livres m'ont marquée et comme j'avais besoin de les faire connaître afin qu'ils puissent devenir une source d'inspiration pour d'autres, vous en trouverez la liste à la fin de cet ouvrage.

J'ai toujours été une personne très active, qui se donnait à 200 % dans tout ce qu'elle entreprenait: famille, travail, bénévolat, etc. Tout cela afin de ne pas déplaire à personne et pour parvenir à un certain bien-être intérieur. Depuis que j'ai fait une dépression, je suis beaucoup plus à l'écoute de mon corps, et ce qu'il m'apprend n'est pas toujours facile à accepter. Ce n'est pas parce que nous en faisons beaucoup que nous sommes plus appréciés. Même que, parfois, c'est le contraire. Plus nous en faisons et plus les gens nous en demandent, et plus ils nous en demandent et moins ils nous apprécient.

Toutefois, j'ai réalisé que la personne que je punissais dans tout cela, c'était moi, celle qui n'arrivait pas à dire: «Relaxe et prends le temps de vivre.» En tant que femme, mère et épouse, je voulais tellement être parfaite à tous les égards que je ne me donnais pas le droit de prendre du temps pour moi, croyant que je ne le méritais pas. Je faisais passer mes enfants et mon mari avant moi, oubliant de ce fait que mes besoins à moi n'étaient pas comblés. Quand le seront-ils si je ne me permets pas de les combler maintenant? Dans une semaine, dans un mois, dans un an?

J'ai appris à prendre du temps pour moi, à m'en réserver pour faire des activités qui me font un grand bien, comme des séances de bronzage, une visite chez le coiffeur, un après-midi dans les magasins, etc.

J'ai suivi deux thérapies très fructueuses autant l'une que l'autre qui m'ont permis de prendre conscience que je pouvais changer des choses dans ma vie, simplement en posant les actions suivantes:

1. Écrire mon vécu en tant que personne anxieuse et dépressive, ce qui m'a aidée énormément.

2. Découvrir que j'avais le potentiel pour démarrer des projets, alors je me suis mise à l'œuvre! Avec le Club Med des tout-petits, la baignade familiale et autres projets, j'ai fait la une du journal local à plusieurs reprises, des passages à la radio locale et même un à la télévision de Radio-Canada en janvier 2000, et ce n'est pas terminé!

Voici donc mon parcours depuis août 1997, moment du diagnostic de ma dépression.

Le Club Med des tout-petits fut mon premier cheval de bataille. De ce projet sont nées plusieurs activités, dont les petites parades lors de l'Halloween au Centre commercial d'Asbestos. Cette activité a duré cinq années consécutives. Au tout début, en octobre 1997, huit enfants accompagnés de leurs parents y participaient. Le nombre de participants n'a cessé d'augmenter pour se rendre, en 2001, à plus de 65 enfants accompagnés de leurs parents. En plus de prouver qu'il y avait encore des jeunes dans notre région, je prouvais également aux personnes qui ne croyaient pas en mes projets que, oui, il existe des familles pour qui faire des activités avec leur(s) enfant (s) est très important, voire même primordial.

De plus, puisque les commerçants avaient été très généreux avec le Club Med des tout-petits, j'ai pu confectionner, dans des tissus qui nous avaient été donnés, un costume de clown afin de créer une mascotte pour le club. Cette initiative m'a permis de découvrir qu'il y avait un besoin en animation, alors, de fil en aiguille, j'ai appris à faire du modelage de ballon, des maquillages, et voilà que je démarrais une petite entreprise de clowns.

Avec l'aide et le soutien de mon mari, j'ai fabriqué un deuxième costume de clown, cette fois mieux adapté à mes besoins. Je l'ai surnommé *Bedon rond*. Je me souviens de la toute première fois que j'ai fait des modelages de ballons: j'étais très nerveuse, car j'étais installée juste à côté du père Noël au centre commercial. Il y avait plusieurs enfants et tous voulaient avoir leur ballon avant d'aller s'asseoir sur les genoux du père Noël. Bien que ce fût un après-midi très chargé et surtout très épuisant, j'y ai vu là une autre preuve que je pouvais réussir ce que j'entreprenais. Il me suffisait de bien me préparer et, surtout, de croire que c'était possible, que j'en étais capable. Alors, pendant une année, j'ai fait de l'animation en tant que clown un peu partout dans ma région. Quel plaisir de me déguiser ainsi, de me donner le droit d'entrer dans un personnage qui attire les bonjours, les rires, la joie! C'était pour moi un réel cadeau de voir les sourires des gens quand je les croisais à l'épicerie, après une animation. Je me suis permis de vivre de belles expériences et, surtout, d'apporter de la fantaisie dans le cœur des enfants et des gens que je rencontrais.

Par la suite, en 1998, je me suis investie dans une nouvelle mission, soit celle de demander à la Ville d'Asbestos, principalement au directeur des loisirs, d'instaurer une heure de bain familial dans la grille horaire de leurs activités. Cette activité nouvelle permettrait aux tout-petits, accompagnés de leurs parents, de se baigner en toute sécurité. J'en avais fait l'expérience avec les parents utilisateurs du Club Med des tout-petits, et comme cette dernière avait été concluante et que le besoin était là, j'ai décidé de poursuivre mes démarches et d'utiliser mes contacts. À la suite de la rencontre avec le directeur des loisirs, il me fallait amasser la somme de 500 $ afin de couvrir la moitié des frais générés pour la location de la piscine, l'embauche de deux sauveteurs, d'un concierge, etc., pour une première session de dix semaines. J'ai donc décidé de contacter des parents que je côtoyais pour appuyer ma démarche, ce qui s'est fait sans problème pour la première session. Je croyais tellement en mon projet que je n'ai jamais craint de ne pas amasser l'argent nécessaire. Très vite, ma liste de donateurs a été remplie et la somme exigée est amassée avant même que ne débute la session, à la grande surprise du directeur des loisirs qui, grâce à l'implication de la Ville, défrayait l'autre moitié des coûts. Comme l'activité se déroulait bien, j'ai entrepris une deuxième session. Cependant, cette fois, ce fut plus ardu. Plusieurs parents, qui s'étaient inscrits à la première session et qui n'avaient pas pu participer à toutes les semaines, m'ont alors demandé de payer seulement lorsqu'ils viendraient se baigner, ce que j'ai accepté. Toutefois, bien que nous fûmes une vingtaine de parents et d'enfants à nous baigner, ce n'était pas suffisant. Il me fallait trouver le manque à gagner. Toute seule mais convaincue que j'avais raison, je me suis présentée à une réunion du conseil municipal pour demander à la Ville de défrayer ce manque. Le conseil municipal a accepté et a utilisé des fonds provenant du budget de la politique familiale. L'activité fut reconnue par la ville d'Asbestos en janvier 2001 et elle est toujours en activité.

Toujours en 1998, comme ma grande fille était maintenant en première année et que je voulais savoir ce qui se passait à l'école, j'ai accepté de m'impliquer dans le conseil d'établissement de son école en tant que présidente et représentante au comité de parents. Encore là, un nouveau défi s'offrait à moi, car je n'avais aucune expérience du milieu scolaire. Toutefois, j'étais ouverte à tout ce que je pouvais y apprendre. Convaincue que j'y gagnerais quelque chose de constructif, j'ai pris les rênes de cette nouvelle expérience. Cette année-là, les membres du conseil d'établissement avaient plusieurs projets, mais celui qui nous tenait le plus à cœur était de rajeunir et d'adapter le parc-école, tout en modifiant certaines infrastructures.

Nous avons alors convenu qu'il fallait demander aux jeunes ce qu'ils désiraient et, de cette façon, nous les avons intégrés dans la démarche et le processus. Ils ont obtenu la majorité des choses qu'ils ont demandées. De belles poubelles jaunes furent installées, des bancs, des jeux de basketball, de *tetter ball*, etc. Quelques parents se sont joints à nous pour la peinture des jeux en place, ce qui a apporté un rafraîchissement au parc-école. De plus, nous avons réussi à leur accorder un autre souhait en allant chercher une aide financière, soit une glissade que nous avons pu acheter et installer. Avec la participation d'une équipe, nous avons réussi à faire d'un parc-école désuet un bel endroit où il fait bon s'amuser de façon sécuritaire.

Par la suite, j'ai poursuivi mon implication au conseil d'établissement de l'école primaire trois autres années en tant que présidente et deux autres comme représentante de la communauté afin d'être présente pour mes filles et, surtout, pour m'épanouir dans cette nouvelle passion. Lorsque l'aînée a fait son entrée au secondaire, comme j'avais des craintes face à cette nouvelle vie scolaire, je voulais être là non seulement pour elle, mais aussi pour me sécuriser, je crois. Alors, j'ai accepté la présidence du conseil d'établissement deux années consécutives et une en tant que représentante de la communauté. J'ai beaucoup appris de toutes ces années d'implication. Je me suis écoutée, j'ai eu du plaisir et cela m'a permis de rencontrer et de travailler avec des personnes formidables. Que de beaux projets nous avons pu bâtir et réaliser ensemble pour les jeunes d'ici, et ce, à mon grand plaisir!

En janvier 2000, lors d'un conseil municipal auquel j'assistais, j'ai eu l'idée de fonder, avec l'une des conseillères municipales, le comité de la famille. Ce comité aurait pour mission de répondre aux problématiques et aux besoins vécus par les familles. J'ai donc entrepris les démarches et je me suis entourée de personnes qui, tout comme moi, croient en cette réalité. Et c'est ainsi qu'est né le comité qui, en septembre 2000, devenait FamillAction.

J'ai fait partie de ce comité un an et demi. Quelle fierté de constater qu'il a continué de grandir et d'évoluer pour devenir, en septembre 2004, la Maison de la famille FamillAction! Encore aujourd'hui, cet organisme est très actif au sein de toute la MRC des Sources.

Grâce à ma grande implication en tant que bénévole, j'ai reçu une offre des plus intéressantes, soit un emploi dans un centre d'action bénévole de ma municipalité. Mon travail consistait principalement à recruter des bénévoles et à faire connaître ou découvrir les bienfaits qu'apporte le bénévolat. Cela allait bien au-delà de mes espérances: parler de ce qui me passionne! C'était formidable! Alors, j'ai foncé, j'ai rencontré la personne responsable et voilà qu'en octobre 2001, j'ai commencé un nouvel emploi au sein de la Maison de l'action bénévole de l'Or blanc, où je travaille encore aujourd'hui. Les défis sont toujours aussi présents après dix ans. Je m'y épanouis toujours autant et je savoure ce travail qui me passionne, avec une équipe de grande qualité. L'opération *Coup de cœur*, qui est une activité de financement important pour le service d'aide alimentaire La Manne, m'a permis de côtoyer, et surtout de découvrir et d'apprécier des gens des plus dynamiques et ô combien généreux.

Ce travail m'a offert l'occasion de monter de beaux projets, de me découvrir davantage et de constater de nouveau tout ce que je peux accomplir et réussir tout en apprenant de mes erreurs et des difficultés qu'il m'a fallu affronter.

De par la représentation que j'avais à faire, j'ai découvert la table de concertation jeunesse. J'ai eu la chance de m'impliquer dans un organisme qui réunissait, encore là, mes passions. Comme le poste de présidente n'était pas très populaire, j'ai décidé de relever, une fois de plus, ce nouveau défi. En 2005, nous sommes allés chercher un appui financier et nous avons monté, ici à Asbestos, un salon jeunesse afin d'informer les jeunes des services et activités qu'on leur offrait chez nous. De plus, nous avons réalisé tout un défi avec le méga spectacle *Talents en lumière,* qui permettait aux jeunes de 5 à 35 ans provenant de toute la région de monter sur une scène et de démontrer aux gens leurs talents artistiques. Depuis 2006, je suis employée par le comité et j'avoue *triper* fort sur les jeunes. Le fait de pouvoir être en avant, être là pour eux et avec eux, c'est vraiment extraordinaire. Encore là, je travaille avec des personnes qui croient en moi, qui me valorisent et qui m'amènent à relever des défis stimulants et énergisants.

Je me suis prise en main en me permettant de m'impliquer un peu partout dans des milieux qui m'intéressent et qui me passionnent. Bien que parfois mes implications aient pris beaucoup de mon temps, je me restreignais à deux comités par année. Je faisais passer ma famille avant tout, je travaillais sur mes projets habituellement le soir alors que mes filles dormaient, et je les impliquais dans tout ce que je faisais. Non, je ne regrette rien, car j'ai tellement appris! Certes, j'ai fait des erreurs, il m'a fallu apprendre à m'affirmer, à ne pas me laisser marcher sur les pieds et à me faire respecter dans mes valeurs… Mais j'ai foncé et j'ai réussi!

Pour me permettre de m'épanouir davantage, je me suis permis de donner quelques conférences en 2004 sur les sujets de l'anxiété et de la dépression. Je me suis laissé guider par ce que mon cœur me dictait. J'ai donné cinq conférences et je me suis découvert une grande passion: être sur une scène pour transmettre aux gens venus m'écouter ce que m'avait apporté le fait de vivre l'anxiété et la dépression, et de me donner le droit de découvrir et d'utiliser des moyens pour m'en sortir. Quelle révélation! Certes, j'ai dû mettre de côté ce projet, car je travaillais à temps plein, mais l'idée n'est pas disparue, bien au contraire! En effet, grâce à la publication de ce livre, elle renaît, elle prend de plus en plus de place et ne demande qu'à refaire surface: donner de plus en plus de conférences afin d'aider et de stimuler les gens pour qu'ils vivent leur vie intensément.

Grâce à tout ce que j'ai accompli, j'ai appris à me faire confiance, à me bâtir une meilleure estime de soi, à foncer, à contacter des personnes influentes, à constater que j'avais raison de croire en mes objectifs et à me donner tous les outils pour les atteindre.

À travers les étapes de mon évolution, mais aussi lorsque je vivais l'anxiété et la dépression, ma mère m'a beaucoup aidée. Je ne peux compter le nombre de fois où je l'ai appelée parce que je ne me contrôlais plus. Elle se rendait toujours disponible, même la nuit. Elle était là pour m'écouter, prête à venir m'apaiser. C'est une personne extraordinaire qui m'a toujours démontré son amour inconditionnel et qui reste ma grande amie. Elle ne m'a jamais laissé tomber. Elle a constamment cru en moi, en ce que j'avais le potentiel d'accomplir. Je lui dis un gros merci.

Tout au long de cette période, j'ai eu aussi la chance de pouvoir compter sur mon mari. Que ce soit pour le montage ou le démontage d'une salle, pour s'occuper des filles, pour m'encourager et me prendre dans ses bras lorsque je traversais des moments difficiles, il a toujours été là. Il participait à tout ce que j'entreprenais, m'appuyant et m'apportant l'aide et le soutien dont j'avais besoin. Je l'aime très fort et je le remercie du plus profond de mon cœur.

Dans le chapitre suivant, je vous présente les moyens que j'ai utilisés pour m'en sortir. Ils sont simples, faciles à réaliser, mais ils exigent de croire qu'il est possible de se prendre en main, de s'aider soi-même, de retrouver une vie meilleure et de s'y épanouir.

7.

Vouloir se changer et se donner le droit de le faire

Si je propose d'abord cet exercice, c'est que je crois qu'il nous faut, avant tout, constater que nous avons un problème de santé mentale, sinon il nous sera difficile de changer quoi que ce soit afin de nous permettre une évolution, autant personnelle que physique.

Pour ma part, lorsque j'ai pris conscience que je n'étais pas bien dans ma tête, mon cœur et mon corps, il m'a fallu découvrir la raison principale de ce mal-être et trouver également des outils pour arriver à me sentir mieux avec moi-même et, par conséquent, avec les gens qui m'entouraient.

Réaliser que j'avais un problème d'anxiété chronique fut vraiment une libération, car je croyais depuis de nombreuses années que tous les gens étaient comme moi. Je me considérais *normale* jusqu'à ce que je comprenne que ce n'était pas le cas ! Vivre tous les jours dans la peur, en être prisonnière de par toutes les restrictions auxquelles elle nous contraint, c'était loin d'être *normal*. En prenant la décision de changer les choses, il me fallait d'abord changer ce qui n'allait pas. Et c'est ce que j'ai fait.

Voici donc une première démarche qu'il est important de faire, non pas pour les autres mais bien pour soi: *vouloir se changer et se donner le droit de le faire.* Toute personne en est capable, selon moi, et je vous y aiderai à ma façon, si vous le voulez bien! Je sais que certaines personnes diront peut-être: «C'est bien beau, mais si je…»

Pour vouloir se changer, il faut chercher en soi ce qui ne va pas, ce qu'il faut travailler petit à petit pour arriver à changer et modifier certains traits de caractère. Il faut se fixer des objectifs qu'on se sait capable de réaliser. Pourquoi? Eh bien, tout simplement parce que si on se fixe des objectifs trop hauts et qu'on ne les atteint pas, il sera facile d'abandonner, de se dénigrer et d'arrêter toute la démarche. En se fixant de petits défis et en les atteignant, notre estime de soi va grandir et les défis vont nous stimuler au lieu de nous arrêter. Prêt? Alors, allons-y pour l'apprentissage! Je vous recommande de prendre un journal personnel pour répondre aux questions suivantes:

— *Est-ce qu'il y a quelque chose en vous qui vous déplaît, qui vous frustre et que vous voudriez changer? (Par exemple, un trait de caractère, un trait physique, etc.)*

  • *Si oui, quel est-il ou quels sont-ils?*

  • *Non, je m'accepte tel(le) que je suis.*

— *Quel est le défi que vous seriez prêt à relever pour changer ce qui ne va pas? (Par exemple, pratiquer la tolérance envers sa famille, ses amis.)*

— *Maintenant que vous avez choisi un défi, quels sont les outils que vous pourriez utiliser pour le relever? (Ces outils vous appartiennent, ils sont là pour vous aider, alors faites la liste de ce qui vous aiderait à atteindre votre défi. Par exemple, prendre le temps d'écouter les gens, ne pas les juger et surtout ne pas vouloir les changer.)*

Si vous croyez que cela peut vous aider, faites-vous un tableau de motivation. Lorsque votre objectif sera atteint, donnez-vous le droit de vous faire un cadeau juste pour vous.

« J'AI RÉUSSI, JE SUIS FIER DE MOI ET JE ME FIXE MAINTENANT UN DÉFI UN PEU PLUS DIFFICILE TOUT EN ME RESPECTANT, EN RESPECTANT MES VALEURS ET EN ME DONNANT LE DROIT DE TOMBER POUR MIEUX ME RELEVER. »

Si vous échouez, c'est peut-être parce que vous n'avez pas persévéré, ou que le défi que vous vous étiez fixé était trop difficile, ou encore que vous n'étiez pas prêt. *Ne jetez pas le blâme sur qui que ce soit.* Recommencez, fixez-vous un défi plus simple, et dites-vous : « Je peux le faire », car vous avez là, en vous, tout le potentiel pour réussir. Donnez-vous le droit de chercher en vous afin d'accomplir de grandes choses. Il se peut que vous ayez peur, mais croyez que la peur est une barrière que vous pouvez traverser. L'inconnu fait peur à bien des gens. Pour certains, c'est un stimulant, alors que pour d'autres, c'est un obstacle infranchissable. À vous de choisir ! Vous avez le droit d'avoir peur, et c'est correct. Toutefois, cet obstacle qui se trouvera devant vous cachera des expériences enrichissantes, des apprentissages de la vie. Le franchir vous donnera une force intérieure et une fierté au-delà de vos espérances. Vous êtes un miracle en soi ! Donnez-vous le droit de tomber pour mieux vous relever et gravissez une à une les marches qui vous mèneront vers le succès.

– Quelle est la réflexion qui vous ressemble le plus ?

- *Je ne fais pas que regarder passer la parade, j'y participe afin de faire une différence dans ma vie.*

- *Je laisse aux autres les rênes de ma propre vie, je suis leurs conseils, je fais ce qu'ils me disent, et ce, même si je ne suis pas en accord avec eux.*

- *Je suis né pour un petit pain, je ne pourrai jamais obtenir tout ce que je veux, car j'en suis incapable.*

- *Je veux changer ma vie, mais je ne sais pas comment y parvenir. J'ai besoin d'aide.*

– À la suite de votre réponse précédente, est-ce que, selon vous, vous êtes une personne plutôt positive ou plutôt négative ?

– Quels moyens pourriez-vous utiliser pour vous sentir mieux dans votre tête, dans votre corps et dans votre cœur ?

- *Dans votre tête (exemple : bâtir une meilleure estime de soi) ;*

- *Dans votre corps (exemple : bien manger et faire de l'exercice) ;*

- *Dans votre cœur (exemple : aider une personne âgée).*

Le simple fait d'avoir pris le temps de faire les exercices précédents est un défi en soi, alors je vous félicite et vous encourage à continuer.

8.

Côtoyer des personnes positives

Je suis tout à fait en accord avec la maxime « Dis-moi avec qui tu te tiens et je te dirai qui tu es. » Cette phrase bien simple est très révélatrice, car les gens que nous côtoyons peuvent nous stimuler à atteindre de nouveaux objectifs ou restreindre notre élan pour avancer. Lorsque nous voulons davantage dans la vie, nous nous devons de fréquenter des personnes qui en font davantage dans leur vie. Si nos amis sont sans énergie et tristes, leur attitude nous affectera et, bientôt, sans même que nous le réalisions, nous serons comme eux. Toutefois, s'ils s'impliquent dans la communauté, s'ils sont énergiques et stimulés par tout ce qu'il leur est possible d'accomplir, le vent va nous porter avec eux et nous aurons, nous aussi, le goût et l'intérêt pour découvrir le monde et nous dépasser.

Nous avons le pouvoir de choisir nos amis. Alors, pourquoi ne pas les choisir en nous basant sur ce que nous voulons être et devenir? Plusieurs personnes entrent et sortent de nos vies pour diverses raisons: certaines pour l'amour, d'autres pour une amitié passagère, d'autres encore pour nous apprendre quelque chose ou tout simplement nous aider à mieux vivre notre vie.

Dans mon cas, une personne toute spéciale, formidable, et avec un charisme incroyable est entrée dans ma vie, je dirais plutôt dans notre vie, celle de mon conjoint et la mienne, le 15 novembre 2005, pour m'apprendre à mieux me connaître.

Voici un bref retour en arrière pour partager avec vous cette rencontre.

En raison de mon travail, j'avais entrepris des démarches pour inviter Hugo Girard, celui qui fut proclamé «l'homme le plus fort du monde» en 2002, pour qu'il puisse, par ses conférences, motiver et inspirer les jeunes de l'école secondaire de l'Escale, dans le cadre de la Semaine de prévention en toxicomanie.

Je me sentais des plus stressées et j'avais très hâte de le rencontrer, d'entendre ce qu'il avait à dire et, surtout, de vivre ce moment avec mon mari et avec tous les jeunes. Cependant, j'étais aussi tenaillée par la peur de ne pas être à la hauteur, celle de faire des gaffes, etc. De plus, je ne connaissais de lui que ce que j'avais entendu à la télévision. Mon mari, qui l'avait rencontré à quelques occasions, me l'avait décrit comme un homme drôle, sympathique et très simple. Il me fallait donc croire que tout se passerait bien.

Lorsque Hugo est arrivé à Asbestos, il nous a avisés qu'il était au régime, ce qui nous a forcés à modifier quelque peu notre horaire. Nous avons annulé la réservation au restaurant et nous l'avons invité à venir manger à la maison. Au début du repas, j'étais très nerveuse, je sentais mon cœur battre à toute allure. Après quelques minutes, j'ai repris mes esprits et tout s'est très bien passé. Le fait qu'il soit venu à la maison nous a permis de briser la glace, de parler tranquillement et de découvrir que, même s'il est connu mondialement, il reste un homme très simple et surtout très gentil.

Comme ses conférences avaient été un grand succès et que je recevais de nombreux commentaires des jeunes, des parents et plus encore, je me suis dit: «Pourquoi ne pas les lui faire parvenir?» Je lui ai donc préparé et posté un petit colis avec des photos, des commentaires, des articles parus dans le journal local. J'ai agi ainsi en pensant simplement que j'aimerais qu'on fasse de même si c'était moi.

À partir de ce moment, j'ai senti qu'Hugo Girard venait d'avoir une influence certaine dans ma vie. Il avait dit plusieurs fois: «Dans la vie, nous avons tous des choix à faire et ce sont les choix que nous faisons qui font de nous des gagnants ou des perdants.» Étant donné que je suis une battante et que je ne voulais pas seulement regarder passer la parade mais y participer, j'ai fait un choix. Je devais faire encore plus, organiser moi-même la parade de ma vie, ne pas attendre que les autres en écrivent les pages mais les écrire moi-même maintenant, et croire que mon rêve de rédiger un livre pouvait se réaliser.

Depuis ce temps, ma famille et moi entretenons une belle amitié avec Hugo. J'aime prendre le temps de lui écrire, de l'appeler de temps à autre pour prendre de ses nouvelles. Avant qu'il ne prenne sa retraite, je lui téléphonais à l'occasion pour l'encourager avant ses compétitions, ou pour lui faire part de nos commentaires sur les compétitions auxquelles nous avions assisté et dont j'étais devenue une véritable admiratrice.

Nous apprécions beaucoup le respect qui existe entre nous. Hugo Girard est un homme connu et apprécié de beaucoup de gens. Être son amie est une bénédiction, car il est sympathique, authentique et drôle, et il nous fait sentir importants, une qualité qui n'est pas innée chez tout le monde. Le côtoyer, l'écouter, apprendre à le connaître autrement qu'en tant «qu'homme fort», c'est un autre des beaux cadeaux que la vie m'a apportés. Peu importe où Hugo se trouve, ses admirateurs sont toujours importants pour lui. Il a toujours des cartes et un crayon pour leur remettre un autographe, un sourire, une poignée de main.

Hugo est entré dans ma vie pour me démontrer que je dois cesser d'avoir peur, que je dois confronter mes craintes et foncer. Il m'a fait prendre conscience que rien n'est impossible à celui qui croit et qui met les efforts nécessaires pour réaliser des buts, des objectifs, si minimes soient-ils. Il ne cesse de me démontrer, par son exemple, qu'il faut croire en soi, qu'il ne faut pas lâcher au premier obstacle, que parfois les marches pour atteindre notre but sont longues à gravir, mais que nous pouvons y parvenir. La preuve en est qu'après trois blessures, importantes, Hugo a repris la compétition en 2007 et s'est classé troisième au Canada.

Il a pris sa retraite en septembre 2008 lors de la compétition canadienne qui s'est tenue à Québec. Depuis ce temps, il se permet de changer des choses dans sa vie, il se fixe de nouveaux défis et s'ouvre à de nouvelles expériences.

Bref, il est important de nous permettre de nous entourer de gens qui ont des objectifs, des buts bien précis et qui réussissent. Nous donner le droit de les écouter, de les imiter et d'apprendre d'eux est et constitue une étape qui doit être franchie pour atteindre de nouveaux objectifs. Il nous faut également choisir les personnes de notre entourage et découvrir les bienfaits que les gens positifs peuvent avoir sur notre vie, notre travail et notre famille.

Les gens qui ont une attitude positive sont ceux qui foncent, qui utilisent leurs expériences comme des tremplins, comme des outils pour grandir, acquérir de la sagesse, des connaissances et ainsi réaliser leurs buts.

Rien n'arrive pour rien, et il en est de même pour les personnes qui entrent et sortent de notre vie. Toutes celles que nous côtoyons, avec lesquelles nous entretenons des liens amicaux, personnels ou professionnels entrent dans notre vie pour une ou plusieurs raisons, et c'est à nous de les découvrir. Lorsque nous ouvrons notre cœur, que nous sommes attentifs aux autres, à ce qu'ils disent et à ce qu'ils font, nous nous ouvrons à de belles expériences. Parfois, certaines personnes nous donneront de bons coups de main, d'autres nous apporteront des petites douceurs, mais jamais elles ne pourront nous laisser indifférents. C'est la même chose en ce qui nous concerne: lorsque nous entrons dans la vie de quelqu'un, nous n'y entrons pas pour rien.

9.

Éviter les nouvelles négatives

*P*our *votre deuxième exercice, je vous propose de prendre* conscience des impacts néfastes que peut avoir votre perception des nouvelles, des films, des documentaires et autres qui touchent à la violence, à tout ce qui se vit de négatif sur la terre et autour de nous. Combien de fois ai-je entendu des gens dire : « Je n'ai pas bien dormi, j'ai écouté les nouvelles hier soir avant de me coucher. Une personne a été tuée sauvagement et ça m'a affecté… »

Pour ma part, je n'ai jamais été une personne qui écoutait beaucoup les nouvelles ou qui lisait les journaux. Cependant, lorsque j'allais chez mes parents, j'écoutais avec eux les nouvelles télévisées. Par curiosité, je lisais aussi divers journaux qui traînaient ici et là et j'ai vite réalisé que je me laissais atteindre par tout ce qui arrivait dans le monde. Je prenais les difficultés des gens sur mes épaules sans même le réaliser. Lorsque j'ai pris conscience des effets néfastes que ces nouvelles négatives pouvaient avoir sur tout mon être et après avoir lu des informations sur le sujet, j'ai décidé que c'en était assez ! En ce qui me concerne, l'écoute de films comportant de la violence ainsi que l'écoute des nouvelles négatives a été diminuée de beaucoup, jusqu'à cesser complètement, dans certains cas.

J'ai commencé à lire des livres de croissance personnelle, à m'abonner à des revues sur la santé, à écouter des reportages sur le mieux-être. À partir de là, j'ai réalisé que ces petits changements m'apportaient beaucoup de bien-être et que je me nourrissais de toutes ces nouvelles connaissances.

Je n'affirme pas qu'il faut nous fermer à ce qui se vit dans le monde, mais il est important de ne pas nous laisser atteindre personnellement par ce que les gens vivent si nous ne pouvons rien changer à la situation. Selon moi, la meilleure façon de changer le monde, c'est d'arriver à se changer soi-même et, par le fait même, devenir un exemple afin d'aider et de guider les autres à changer à leur tour. De plus, nous savons très bien que certains médias amplifient les problèmes dans le monde dans le but d'attirer une plus grande clientèle afin de faire grimper les cotes d'écoute pour leurs commanditaires. Il faut donc faire des choix, et ce sont ces choix qui transforment notre vie.

Si votre besoin d'écouter les nouvelles est très fort, peut-être devriez-vous vous questionner sur ce que vous en retirez de positif. Avez-vous besoin de savoir que, malgré tout ce que vous vivez, vous n'êtes pas à plaindre, qu'il y a des gens qui vivent tous les jours des situations pires que vous, ou que vous avez en vous le potentiel et la passion nécessaires pour changer des choses, peut-être en vous impliquant dans divers comités afin d'apporter un plus dans la vie de quelqu'un d'autre? Cherchez à savoir ce que vous apporte le fait de lire, d'écouter, de regarder les nouvelles, ou de visionner des films de violence, de guerre et d'ondes négatives. *Ne le faites pas pour les autres, faites-le simplement pour vous!*

Dans l'un de ses Bulletins du succès, Patrick Leroux, un conférencier de renom, nous sensibilisait à l'effet négatif que peuvent avoir certains médias:

Je vous mets au défi de prendre le journal de ce matin. Faites abstraction des annonces publicitaires qui représentent environ 50 % de l'espace et comptez le nombre de bonnes nouvelles versus le nombre de mauvaises nouvelles. Ou encore écoutez le bulletin de nouvelles télévisées ce soir avant d'aller vous coucher et faites le même exercice, soit comptez le nombre de nouvelles positives versus le nombre de nouvelles négatives. Vous réaliserez rapidement qu'il y a plus de 95 % de nouvelles négatives. À preuve, le réseau TVA a même un commanditaire pour la bonne nouvelle de la journée! Croyez-vous que le fait d'écouter et de voir ces mauvaises nouvelles peut contribuer à vous stresser? Poser la question, c'est y répondre... [1]

Pour ma part, le fait de ne pas écouter de nouvelles majoritairement négatives, ou d'en écouter peu, m'aide énormément. Ainsi, je porte davantage mon intérêt pour des activités qui m'apprennent des choses, des émissions qui me permettent de m'ouvrir à ce que vivent les gens et découvrir les outils qu'ils utilisent en guise de solutions. Je suis une adepte des films qui sont basés sur des faits vécus. Mes chaînes de télévision préférés sont Canal Vie et Canal D. J'aime écouter des gens ordinaires témoigner de leurs expériences et de ce qu'ils ont appris de leurs épreuves. J'apprécie les biographies où des personnes ordinaires ont accompli des choses extraordinaires. Je ne suis pas une consommatrice de magazines, mais il m'arrivait d'en acheter quelques-uns à l'occasion.

Mais comme je ne faisais que les feuilleter, j'ai donc décidé de ne plus en acheter. Mon choix fut donc de ne plus consommer de magazines qui ne m'apportaient rien de positif. J'opte plutôt pour des revues sur la santé et des livres de croissance personnelle. De cette façon, je sais que je permets à mon

---

1. *www.patrickleroux.com.*

subconscient d'intégrer de bonnes informations et, surtout, de les enregistrer.

> — *Et vous, aimez-vous écouter les nouvelles, visionner des films ou des émissions contenant de la violence?*
>
> • *Qu'est-ce que cela vous apporte?*
>
> • *Pourquoi le faites-vous?*
>
> — *Ressentez-vous un certain bien-être lors de l'écoute ou de la lecture de nouvelles, lors de visionnement de films ou de jeux négatifs?*
>
> • *Si oui, qu'est-ce que cela vous apporte?*

Si vous avez répondu non, seriez-vous sur la bonne voie? Je vous répondrais par l'affirmative si vous n'écoutez pas ou ne regardez pas de films où la colère, la rancœur, les tueries, les bagarres sont à la une. Les gens s'imaginent que s'ils aiment ces films, la violence ne les affecte pas. Ce que je crois, c'est que la haine entraîne la haine et que la colère entraîne la colère. L'amour entraîne le partage, l'amitié, le respect et l'amour. À vous de faire le meilleur choix pour vous. C'est de votre vie dont il s'agit après tout, n'est-ce pas?

> — *Vous serait-il possible de diminuer, petit à petit, l'écoute ou la lecture de ces envahisseurs du subconscient?*
>
> • *Si oui, comment pourriez-vous faire?*

Si vous vous permettez de diminuer l'écoute de nouvelles, de films ou de toute autre chose qui a des effets négatifs sur votre vie, permettez-vous aussi de prendre du recul et de découvrir ce que cela vous apportera après quelques semaines. Écrivez ce que vous avez découvert à propos de vous, de votre façon d'agir envers les gens, devant certaines situations de votre quotidien. Vous découvrirez sûrement que le choix que vous avez fait est bénéfique pour vous, pour votre famille et pour votre santé mentale.

VOUS ÊTES SUR LA BONNE VOIE,
NE LÂCHEZ PAS !
GO! GO! GO!

10.

Trois choses
qui vous font du bien

Si j'ai décidé d'inclure ici un petit exercice pour vous inciter à nommer trois choses qui vous font du bien dans la journée, c'est que cet exercice a été pour moi une belle façon de me rappeler d'agréables moments, de petites et grandes joies et d'ajouter dans mon subconscient des images qui me rappellent le plaisir, l'amour et la gaieté. Lorsque j'ai découvert cet outil incroyable, je me suis mise à réfléchir tous les soirs, parfois entourée de mes enfants et de mon mari, à ce qui nous avait fait du bien dans la journée. Les réponses étaient parfois très étonnantes, mais toutes avaient un même objectif: nous faire du bien.

En octobre 2006, ma cousine Suzy, atteinte d'ataxie de Friedreich, est décédée. Elle était une personne déterminée qui a dû surmonter plein d'obstacles, relever de nombreux défis parfois insurmontables en apparence à cause de son handicap. Elle était toujours une personne enjouée qui ne se plaignait pas et qui avait une grande foi en Dieu. Elle s'est battue jusqu'à la fin pour obtenir des services, une qualité de vie, mais aussi pour garder sa dignité.

Lorsque j'ai assisté à ses funérailles, la journée était vraiment belle, le soleil était radieux et, bien que sa perte fût douloureuse, on pouvait presque sentir sa présence à travers les rayons. Sa joie et son plaisir de vivre le moment présent étaient très intenses en moi. Je les ressentais comme si elle avait été près de moi. J'ai alors pris la décision, à cet instant même, que je ne devais plus me plaindre pour des riens, que je devais vivre pleinement et mordre dans la vie, que j'avais la chance d'être en parfaite santé, de pouvoir marcher, rire, entendre, parler, etc. Je me devais d'identifier ce qui est bon pour moi, ce qui m'apporte quelque chose de plus dans ma vie, car on ne sait jamais quand elle va se terminer. Aujourd'hui est une journée importante! Alors, depuis ce temps, j'écris dans un petit cahier ce qui me fait du bien et, parfois, lorsque j'ai une journée plus difficile, je relis quelques passages, ce qui me permet de revivre ces beaux moments.

– *Et vous, qu'avez-vous fait aujourd'hui qui vous a fait du bien, qui vous a apporté du plaisir et parfois même des émotions intenses qui vous ont touché?*

– *Quelle personne avez-vous rencontrée qui, simplement par un regard, un sourire, un signe de la main, vous a démontré que vous étiez une personne importante pour elle?*

– *Quel plat tellement savoureux avez-vous dégusté à ne plus être capable de vous arrêter? Quels bienfaits, de par sa dégustation, en avez-vous retirés, tout en vous délectant?*

Pensez à ces questions et vous découvrirez, j'en suis convaincue, au moins trois choses qui vous ont fait du bien durant la journée.

Après une mauvaise journée, il peut arriver qu'on puisse croire qu'il n'y a rien eu de positif, mais c'est faux! Lorsqu'on a eu une déception, une dispute avec notre conjoint, nos enfants, notre patron, ce n'est pas négatif mais plutôt constructif. En effet, bien souvent, il s'agit d'une occasion de nous remettre en question, de comprendre que nous avons des choses à régler puisque nous ne sommes pas parfaits.

Il s'agit là d'un point des plus positifs puisque nous avons le droit de changer pour devenir meilleurs. Alors, *go! go! go!* dans votre cheminement.

Bien sûr, il nous est donné à tous de vivre des épreuves ou des difficultés temporaires. Toutefois, croyez qu'elles sont là pour vous permettre d'apprendre, de grandir et, par le fait même, d'apprécier la vie, tout en devenant une personne encore plus formidable.

Alors, permettez-vous un petit recul et réfléchissez... Trouvez trois choses qui vous ont fait du bien durant votre journée. Si vous en trouvez davantage, n'hésitez pas à les écrire. Par exemple, j'ai aimé prendre un verre de lait et des biscuits au chocolat, car cela m'a rappelé mon enfance.

JOURNÉE 1:

1. _____

2. _____

3. _____

JOURNÉE 2:

1. _____

2. _____

3. _____

JOURNÉE 3 :

1. _____

2. _____

3. _____

JOURNÉE 4 :

1. _____

2. _____

3. _____

JOURNÉE 5 :

1. _____

2. _____

3. _____

JOURNÉE 6 :

1. _____

2. _____

3. _____

JOURNÉE 7 :

1. _____

2. _____

3. _____

Écrire ou dire simplement à voix haute ce qui vous a fait du bien permettra à votre subconscient d'enregistrer des souvenirs positifs. Ce petit exercice aura des effets très bénéfiques pour vous et pour les relations avec votre famille, avec vos amis. Faites-le tous les jours et vous verrez que vous ressentirez du bien-être. Plus vous forcerez votre subconscient à chercher des choses positives, plus il vous permettra d'en apprécier les bienfaits.

David J. Schwartz écrivait:

En tant que psychologue, je ne peux modifier ce qui se trouve dans la mémoire d'un patient. Mais je peux, s'il coopère, l'aider à modifier sa vision du passé... Je me suis appliqué à l'aider à voir, dans son passé, de la joie et du plaisir au lieu de motifs de déception... Je lui ai alors donné une tâche à remplir. Je lui ai demandé d'écrire chaque jour trois choses précises qu'il avait d'être heureux... Son état s'est nettement amélioré, à ma grande satisfaction...[1]

«LE BONHEUR DE VOTRE VIE DÉPEND
DE LA QUALITÉ DE VOS PENSÉES.»

(Tiré du livre *Moments d'inspiration*
de Patrick Leroux, www.patrickleroux.com)

---

1. SCHWARTZ, David J. *La magie de voir grand.* Éditions Un monde différent, 1983.

11.

À l'écoute
de votre petite voix

À plusieurs reprises, j'ai été confrontée à diverses expériences, des accidents, des incidents ou d'autres événements du genre «j'aurais donc dû m'écouter». Il a bien fallu que je prenne conscience de tout ce que j'aurais pu éviter si je m'étais écoutée davantage. Je devais réaliser que j'avais là, en moi, le meilleur guide qui soit: mon intuition ou la petite voix de mon cœur. Longtemps, je n'ai pas voulu entendre ce qu'elle me disait, car, inconsciemment, j'avais peur de l'inconnu. Depuis ces expériences passées, je m'efforce d'être de plus en plus à l'écoute de ce que me dicte mon cœur et je peux affirmer que lorsque je l'écoute, je ne suis jamais déçue.

Voici deux petites anecdotes qui illustrent bien mes dires.

Lorsque j'ai démarré le comité de la famille en l'an 2000, j'avais besoin de m'entourer de personnes qui, comme moi, croyaient en la famille et qui étaient convaincues que nous pourrions fonder un tel comité à Asbestos. Je recherchais les personnes idéales avec lesquelles je pourrais bien m'entendre.

Ma petite voix a alors commencé à me murmurer à l'oreille. C'est ainsi que le nom d'une personne que je ne connaissais que très peu a fait irruption dans ma tête. Comme je ne l'avais rencontrée qu'à une ou deux reprises et que je ne savais pas comment elle allait réagir à ma demande, j'ai décidé de ne pas donner suite à cette première idée. Cependant, ma petite voix est devenue de plus en plus insistante et je n'ai plus eu d'autre choix que de rassembler mon courage et de la contacter. Je lui ai expliqué le projet que j'étais en train de monter et je lui ai demandé si elle accepterait de se joindre à moi pour le comité de la famille.

C'est sans aucune hésitation qu'elle a accepté. Nous avons travaillé ensemble quelques mois, une période qui m'a permis d'apprendre beaucoup, d'autant plus qu'elle était une personne qui m'inspirait par son dynamisme, par la connaissance des comités, et aussi parce qu'elle avait elle-même présenté, quelques mois plus tôt, un travail scolaire sur le même sujet. Lorsque je lui ai confié que je l'avais contactée parce qu'elle était constamment présente dans mes pensées, elle m'a répondu simplement: «Il faut croire qu'on a des choses à bâtir ensemble.»

Il m'arrive encore de la rencontrer à l'occasion. C'est une personne très gentille qui a laissé une marque dans mon cœur. Elle a été présente au bon moment, le temps qu'il a fallu, tout simplement. Je la considère comme un ange de l'amitié. Merci à toi, Chantal, pour tout ce que tu as fait pour moi et pour le comité. Grâce à ton aide et à tes connaissances, le comité de la famille, devenu «FamillAction», a pris naissance et constitue aujourd'hui une entité reconnue.

Une autre petite anecdote, plus récente, s'est produite en octobre 2006. À mon travail, je faisais partie d'un comité pour amasser des fonds pour notre service de dépannage alimentaire.

Je devais distribuer des feuillets sur les pare-brise des automobiles afin d'informer le plus de gens possible de la tenue de cette campagne de financement, mais je manquais de temps. Ma petite voix m'a dicté de contacter Christine, une copine, afin de lui demander si ses élèves pouvaient nous donner un coup de pouce. J'en ai parlé à ma collègue qui était convaincue qu'elle refuserait en raison du court délai de préparation. Comme j'ai cru qu'elle avait raison, j'ai abandonné l'idée. Toutefois, ma petite voix se faisant de plus en plus insistante, avec courage, j'ai décidé de l'appeler et je lui ai laissé un message sur sa boîte vocale. Quelques minutes plus tard, elle a retourné mon appel et m'a informée qu'elle n'enseignait plus dans cette classe, mais que l'enseignante responsable serait très heureuse de nous rendre ce petit service. Aussitôt dit, aussitôt fait : j'ai contacté la responsable et voilà qu'en moins de deux, tous les élèves d'une classe vraiment géniale se sont réunis et sont allés distribuer nos feuillets avec une telle efficacité que nous en avons manqué. J'ai remercié ces étudiants pour leur aide et je leur ai même remis un mot de remerciements. Et surtout j'ai réalisé une fois de plus à quel point la petite voix du cœur est un guide important. Les enfants ont été très heureux de nous rendre ce service et, moi, j'étais très fière que ce fût accompli dans le court laps de temps qui m'était donné.

Bien souvent, les gens se laissent influencer par la société, leurs amis, leurs proches, croyant que l'expertise de ces derniers est meilleure que la leur, ce que je trouve bien dommage. Ils trouvent plus facile de prendre la direction que d'autres ont déjà prise, bien qu'elle ne leur convienne pas nécessairement, au risque de se tromper ou même de tomber.

Notre petite voix, qu'on appelle aussi *intuition*, est trop souvent mise de côté, car on craint les qu'en-dira-t-on. Nous avons peur de franchir les barrières sans savoir ce qui se cache derrière. Pourtant, cette petite voix est le guide en chacun de nous. Elle nous évite des accidents, des mauvaises transactions et nous permet de rencontrer des personnes qui nous aideront à évoluer tout au long de notre vie. D'abord et avant tout, elle est là pour notre bien, pour nous guider dans notre recherche du bonheur. C'est une petite voix douce qui nous parle et qui nous dicte le chemin de notre vie. Apprendre à l'écouter devient parfois un défi, mais les bienfaits qui en découlent sont vraiment incomparables !

- *Êtes-vous une personne qui écoute la petite voix de son cœur, ou tenez-vous compte de ce que les gens vous disent pour agir ensuite selon ce qu'ils vous conseillent ?*

- *Vous est-il arrivé de vous dire : «J'aurais donc dû m'écouter» ?*

  • *Si oui, que s'est-il passé par la suite ?*

- *Avez-vous déjà entendu puis suivi votre petite voix ? Quelles ont été les expériences que vous avez vécues après avoir écouté cette petite voix ?*

«La raison peut nous avertir
de ce qu'il faut éviter de faire,
le cœur seul nous dit ce qu'il faut faire.»

(Tiré du livre *Moments d'inspiration*
de Patrick Leroux, www.patrickleroux.com)

12.

Faire de l'exercice, bouger et s'amuser

Pendant plusieurs années, j'ai été une personne sédentaire. Je me disais qu'élever mes enfants était suffisant pour garder la forme. Marcher juste pour marcher ne me tentait vraiment pas et je n'en ressentais pas le besoin. Je me croyais correcte comme j'étais. Toutefois, lorsque des petits problèmes de santé sont apparus (tels que surpoids, constipation, douleurs d'estomac, etc.), j'ai réalisé que je devais faire quelque chose. Ainsi, à la suite des recommandations de mon mari et de l'une de mes bonnes amies, je me suis fait donner un programme d'entraînement. J'ai commencé la musculation.

Après quelques semaines seulement, j'ai ressenti un grand bien-être. Je me sentais plus forte physiquement, mais surtout j'arrivais à mieux répondre à mes propres besoins. J'étais plus résistante aux virus, j'avais davantage confiance en moi, je me trouvais belle et je pouvais soulever des poids plus lourds sans trop de difficulté, ce qui m'aidait à certaines occasions dans mon travail.

De plus, j'étais beaucoup moins essoufflée après un effort aussi banal que celui de monter un escalier. À mon grand plaisir, j'ai perdu 2,5 cm de tour de taille, et ce, en moins de trois mois d'entraînement. Je me suis donné le droit de reconnaître dans la musculation une facette de ma personnalité que je ne connaissais pas et que je prenais plaisir à découvrir au rythme de mon entraînement. Je marchais également le plus souvent possible, que ce soit pour aller au travail, pour faire des courses ou pour me rendre à mes activités.

Aujourd'hui, je ne veux plus être une personne sédentaire, qui trouve toutes les excuses possibles pour ne pas bouger: il y a un bon film à la télévision, je suis trop fatiguée, ou autres. J'ai pris conscience des bienfaits que l'exercice physique m'apporte, alors pourquoi attendre? Il nous faut foncer dès aujourd'hui!

Selon Patrick Leroux, conférencier et auteur:

Si vous êtes de ces gens qui n'aiment pas faire de l'exercice et qui croient dur comme fer que ça ne donne rien de courir, à moins que quelqu'un ne vous coure après..., faites bien attention, car vous pourriez en souffrir plus tôt que vous ne le croyez. Les gens sédentaires, qui s'alimentent mal et qui ne font aucun exercice, sont les gens les plus susceptibles d'attraper des maladies de toutes sortes, d'être victimes d'attaques cardiovasculaires, et de vivre moins longtemps. Je ne connais personne qui aimerait être la personne la plus riche de l'hôpital! À quoi bon avoir une fortune si on est incapable d'en profiter, cloué sur son lit d'hôpital? On ne peut pas être vraiment efficace au travail si notre santé laisse à désirer. Je connais beaucoup de gens dont l'agenda est extrêmement chargé et qui trouvent malgré tout le temps pour s'entraîner en vue de marathons et de triathlons. Alors, peu importe à quel point vous êtes occupé, il faut mettre vos excuses de côté et commencer à vous exercer.

Ne pensez pas aux efforts que vous aurez à faire pour vous mettre en forme, mais pensez plutôt aux résultats que vous en retirerez : une espérance de vie plus longue, une meilleure circulation sanguine, plus d'énergie, plus d'endurance, une perte de poids, moins de maladies, une plus belle peau, un corps ferme et plus séduisant. Vous serez fier de vous, votre confiance en vous augmentera, vous éprouverez un sentiment d'accomplissement et de réalisation personnelle, etc. Décidez de prendre soin de votre santé et de faire des exercices physiques régulièrement, ça pourrait sans aucun doute vous aider à diminuer votre stress, à augmenter votre endurance face à celui-ci, et à vous donner l'énergie nécessaire pour accomplir vos buts[1].

— Et vous, êtes-vous une personne qui fait beaucoup d'exercice ?

• *Si oui, qu'est-ce que vous faites pour vous maintenir en bonne forme physique ?*

• *Sinon, qu'est-ce qui vous en empêche ?*

Parfois, de simples petits gestes peuvent faire une grande différence pour votre santé physique et mentale. Une petite marche pour aller au travail ou faire vos courses plutôt que d'utiliser votre véhicule puisque c'est tout près, ça vous intéresse ? Lancez-vous de petits défis et relevez-les, allez-y ! Vous en êtes capable ! Commencez dès aujourd'hui !

Voici des exemples d'exercices qu'il est possible de faire sans difficulté et à votre rythme :

---

1. *www.patrickleroux.com*

- *La marche, seul ou en groupe ;*
- *La natation ;*
- *Le jogging, le vélo ;*
- *L'entraînement dans un centre de conditionnement physique ;*
- *Des redressements assis, de la gymnastique douce, du yoga, etc.*

Toutefois, si vous avez des problèmes de santé, consultez d'abord votre médecin traitant pour connaître les exercices qui vous conviennent davantage. Allez-y à votre rythme tout en vous amusant !

– *Avez-vous un passe-temps ? Une activité que vous pratiquez parce que c'est passionnant et que, lorsque vous vous y mettez, c'est WOW ! et très difficile de vous arrêter ; cette activité toute spéciale qui vous fait du bien et qui vous permet d'avoir du plaisir et qui vous détend.*

- *La faites-vous souvent ?*
- *Pourquoi ?*

Les passe-temps sont aussi importants que l'exercice physique, car ils permettent de développer certaines aptitudes, dont la patience, la dextérité manuelle, l'imagination, la créativité, le respect des gens. Lorsque nous nous adonnons à une activité que nous aimons et qui nous apporte du plaisir, nous sommes alors à l'écoute de notre cœur. Nous en oublions bien souvent nos tracas ! Alors, pourquoi ne pas nous réserver du temps pour faire ce que nous aimons et nous permettre de découvrir les bienfaits d'avoir un passe-temps agréable tout en étant très fier de nous ?

Plus nous faisons de l'exercice et plus nous nous consacrons à des passe-temps, plus nous voulons en faire et mieux nous nous sentons! *Go! Go!* Nous nous faisons confiance et nous nous en donnons le droit!

La vie est un jeu, et non une marche militaire où nous devons tous être identiques, marcher droit et regarder dans la même direction. Elle est également un cadeau très précieux que nous devons savourer chaque jour pour découvrir ce que nous voudrions qu'elle soit. Il arrive trop souvent, lorsque nous devenons adultes, de ne plus nous permettre de nous amuser ou de ne le faire que rarement, par crainte des qu'en-dira-t-on. Nous nous privons de vivre tant de grandes et belles choses, que ce soit avec notre conjoint, nos enfants, nos amis ou avec notre famille élargie, parce que nous avons *passé l'âge*, croyons-nous. Ne laissons pas notre cœur d'enfant se cacher derrière notre gêne et nos peurs, car grâce à une belle joie d'être et de vivre, nous nous permettons de nous épanouir au maximum, de savourer les petites douceurs de la vie et surtout d'être heureux.

«LE RIRE EST LE MÉDICAMENT LE MOINS CHER
AU MONDE. PRENEZ-EN SOUVENT DE FORTES DOSES.
NON SEULEMENT ÉPARGNEREZ-VOUS EN FRAIS
MÉDICAUX, MAIS VOTRE CORPS SERA EN MEILLEURE
SANTÉ ET VOTRE VIE, PLUS HEUREUSE.»

(Tiré du livre *Moments d'inspiration*
de Patrick Leroux, www.patrickleroux.com)

13.

S'impliquer bénévolement

Comme je le mentionnais précédemment, le bénévolat a été pour moi une façon de me découvrir, de développer ma confiance en moi, de prendre conscience de ce que je pouvais réaliser, tout en étant heureuse et engagée. Par le bénévolat, je me suis permis de *devenir* une personne nouvelle, plus accomplie et surtout plus épanouie. Grâce à mon implication, j'ai rencontré des personnes formidables, fonceuses, qui n'avaient pas peur de relever leurs manches afin d'aider les autres et leur apporter plus de bonheur. Ces années ont été une source d'inspiration pour moi et pour plusieurs personnes qui m'ont suivie. Les connaissances et les aptitudes que j'ai acquises m'ont permis d'avoir un travail que j'aime, de me créer des contacts importants et des outils pour réussir ma vie. De plus, c'est une partie de mon héritage que je suis fière de léguer à mes enfants.

Pour plusieurs personnes, le bénévolat représente simplement un travail non rémunéré alors qu'en fait, c'est bien plus que cela. C'est un présent qu'on donne avec son cœur. Une forme de soutien et d'encouragement qu'on offre aux gens en se permettant de se découvrir soi-même, de faire quelque chose de bien et de généreux. C'est surtout un moyen efficace de se donner le droit d'être. C'est un bel apprentissage de ce qu'on est et de ce qu'on peut devenir. On apprend à reconnaître ses forces, ses faiblesses, et à découvrir le chemin qu'on souhaite poursuivre. De plus, les expériences de bénévolat constituent toujours un atout dans un curriculum vitae.

Le bénévolat, c'est comme faire un câlin, un geste tout à fait gratuit qui vient du cœur, et qui fait autant de bien à celui qui le donne qu'à celui qui le reçoit.

Pourquoi faire du bénévolat? Qu'est-ce que cela peut apporter? Les gens font d'abord du bénévolat pour le plaisir, ou encore ils veulent accompagner un ami, se changer les idées, ou briser leur isolement. Ce don de leur temps leur procure un sentiment de satisfaction ainsi que la conviction que leur présence compte vraiment et qu'ils font une différence.

Quels sont les avantages du bénévolat? L'implication bénévole représente beaucoup plus que le simple don de soi. Les gens de cœur reçoivent autant qu'ils peuvent donner. En effet, ils récoltent souvent les fruits de leur grande générosité, et ceux-ci sont nombreux. Être une personne bénévole permet :

- de se créer de nouvelles amitiés, un réseau de contacts, d'apprendre en étant entouré de gens qui veulent faire une différence dans leur communauté ;

- de rendre service, simplement pour le plaisir que cela nous apporte, mais aussi aux autres ;

- de se dépasser et de croire que, oui, on peut le faire ;

- de bâtir sa confiance et son estime de soi en se donnant le droit d'être soi-même et de vivre ses passions.

Être bénévole, c'est se donner la possibilité de vivre sa propre vie, mais en plus de faire don de son temps tout en privilégiant ses champs intérêts et en respectant ses disponibilités. Et c'est surtout se dire: «Oui, je peux faire une différence dans la vie de quelqu'un et, oui, je le fais.»

— *Et vous, vous êtes-vous déjà impliqué de façon bénévole?*

  • *Si oui, qu'est-ce que cela vous a apporté?*

  • *Sinon, pourquoi?*

— *Quels sont vos champs d'intérêt?*

14.

Avoir la foi en Dieu

*B*ien *souvent, lorsque tout va bien dans notre vie, nous* oublions de remercier Dieu pour ses bontés, pour notre santé, pour nos enfants, pour la nature, etc. Toutefois, lorsque les choses tournent mal, nous le critiquons aussitôt, nous le blâmons, nous blasphémons son nom, nous lui mettons nos malheurs sur le dos. Pourtant, les choix que nous avons faits, les décisions que nous avons prises nous appartiennent. Alors, pourquoi le blâmer, lui? Tout simplement parce que c'est souvent plus facile que de se regarder dans le miroir et de constater que ce que nous sommes est le résultat de nos actions, de nos choix et de nos décisions. Malheureusement, nous attendons d'être au plus bas pour réapprendre à lui faire confiance, pour demander son aide, pour lui dire merci pour tout ce qu'il fait pour nous.

Personnellement, j'ai la foi en Dieu bien que je ne sois pas pratiquante. Je crois en ce qu'il me donne de merveilleux, en ce que je suis grâce à lui, et je le remercie chaque jour qu'il m'est donné de vivre pour chacun des apprentissages qu'il met sur ma route afin que j'accomplisse ma destinée. Quotidiennement, il me permet de devenir une meilleure personne. Je le remercie par mes actions, en donnant un peu de moi-même afin d'aider les autres, tout simplement parce qu'ils en ont besoin, mais aussi en étant bien dans ma peau et en le faisant sentir autour de moi.

Avoir la foi diffère d'une personne à l'autre, car les religions sont bien différentes, et ce, à plusieurs niveaux. C'est pourquoi je ne m'attarderai pas sur ce point. Avoir la foi est un gros atout dans ma vie, puisqu'il m'est essentiel de ne pas me sentir seule. J'ai besoin de savoir que je peux compter sur Dieu à tout moment. Je sais et je sens qu'il m'écoute à tout instant, qu'il me protège, qu'il met des gens sur ma route pour me faire grandir et évoluer. La foi est un choix mais aussi un outil, et c'est à vous de décider si vous l'utilisez dans votre vie.

15.

Apprendre à dire non
et à se faire respecter

Parce que j'appréhendais les conséquences de mes refus, je disais oui à presque tout ce qu'on me demandait. Dire non était pour moi une façon de mécontenter un proche, de blesser un ami ou toute autre personne; alors je ne respectais pas mes choix, mes intérêts, mes priorités, et je disais constamment oui. Cependant, j'éprouvais de la colère parce que j'avais accepté quelque chose dont je n'avais pas envie, mais j'avais donné ma parole. Comme je me battais avec moi-même, survenaient alors les maux de tête, de ventre et les actions *à reculons*. Lorsque j'ai enfin compris que j'avais le droit de dire non, et que si j'assumais mes choix, c'était moins pire que dire oui et le regretter par la suite, ce fut pour moi une belle découverte et une libération extraordinaire.

Nous avons tous des décisions à prendre, des choix à faire, des actions à poser et, parfois, il nous faut être fermes avec le *non*. Certes, il est difficile au début de vivre avec les conséquences de nos refus. Cependant, les décisions fermes suscitent tout naturellement le respect des gens, car en disant non, vous vous respectez vous-même et vous prenez votre place. Les gens ne pourront plus vous forcer à faire des choses que vous ne voulez pas faire et ils demanderont l'aide de quelqu'un d'autre. Vous pourrez alors être davantage à l'écoute de ce que vous dictera votre cœur, vous serez en paix avec vous-même et fier de la personne que vous devenez.

Voici un texte de Christel Petitcollin[1], qui résume très bien ma pensée à propos d'apprendre à dire non:

> *Qu'est-ce qui nous empêche de dire* non *aux autres, de nous faire respecter? Eh bien, selon moi, c'est une partie de nous, très enfantine, qui a terriblement peur de décevoir et de ne plus être aimée ou qui a tout aussi peur de féroces représailles. Ces peurs sont en lien direct avec la façon dont les adultes qui entouraient notre enfance ont réagi à nos tentatives précoces d'affirmation de soi.*

> *Nous a-t-on fait croire que nous aurions plus ou moins d'amour en fonction de nos comportements? Ou bien avons-nous rencontré la menace de terribles représailles et nous continuons de les redouter des années plus tard? Bien souvent aussi, nous savons d'autant moins dire* non, *car nous redoutons de l'entendre pour nous-mêmes. Comme si le* non *était un rejet de la personne dans sa globalité.*

> *Pour pouvoir dire* non, *il faut tout simplement grandir un peu: n'est-ce pas un peu naïf et utopique de ma part que d'espérer plaire à tout le monde? Et que m'importe l'amour de gens qui ne me sont rien? Pour ceux qui me*

---

1. *Christelpetitcollin.com.*

sont chers : s'ils doivent vraiment me retirer leur amour parce que j'ai refusé de rendre un service, méritent-ils mon affection ? Quant aux représailles, il est important d'explorer nos peurs (le pire du pire qui puisse m'arriver si je dis non ?) et de réaliser que notre imagination s'emballe et exagère souvent !

Quelques techniques simples permettront d'apprendre à dire non *de plus en plus facilement, car c'est le premier* non *qui est le plus difficile à prononcer.*

- *Mets au clair dans ton esprit ce qui est acceptable et inacceptable pour toi.*

- *Tu définiras précisément tes limites et elles seront ainsi plus faciles à poser. Si le doute persiste, pose-toi la question au niveau du ventre : « Supposons que je dise oui, je me sens comment ? Et si je dis non ? » Le bien-être ou le mal-être éprouvés au niveau du plexus donne des indications extrêmement fiables.*

- *Refuse l'urgence. « J'ai entendu ta demande, j'y réfléchis et je te rappelle demain. »*

- *Autorise-toi à changer d'avis. Beaucoup de nos* oui *nous sont extorqués par la manipulation. Le manipulateur n'aura que la monnaie de sa pièce. « Écoute, j'ai repensé à ce que tu me demandes et, en fait, je t'ai dit oui trop vite. À la réflexion, ça ne m'intéresse pas du tout. »*

- *Ne donne plus de fausses raisons à ton refus. Ton entourage sait gérer les fausses objections aussi bien que le commercial le plus aguerri. « Nous ne pourrons pas venir dimanche, belle-maman, je suis vraiment trop fatiguée. » « Mais, justement, ma chère, viens te reposer à la campagne, je m'occuperai de tout, tu n'auras rien à faire ! »*

- *Ne te justifie plus. «Qui s'excuse s'accuse», dit le proverbe. Plus l'explication est courte, plus elle est convaincante. Et refuse d'entrer dans le jeu du* pourquoi? *de celui qui cherche à te mettre en accusation. «Je t'ai donné ma raison, si elle ne te convient pas, je ne peux rien faire de plus.»*

- *Et réalise surtout, toi qui croyais ne pas savoir dire* non, *que tu as, en fait, très bien su dire* non, *mais que tu ne l'as dit jusqu'à présent qu'à une seule personne: toi-même!*

— *Arrivez-vous à vous affirmer, à dire non devant une demande d'un ami, d'un membre de votre famille, etc.?*

- *Comment?*

— *Croyez-vous que, parce que vous dites non, les gens vont vous aimer moins?*

- *Pourquoi?*

— *Croyez-vous que le fait de vous affirmer vous apportera du respect, que les gens vont apprécier votre franchise et qu'ils sauront ainsi davantage à quoi s'attendre de votre part?*

- *Comment?*

— *Trouvez-vous difficile de dire ce que vous pensez ou d'agir selon ce que votre petite voix ou votre sentiment vous dit?*

- *Pourquoi?*

Ces questions, qui semblent peut-être anodines, vous démontreront que vous pouvez apprendre à dire non pour vous, afin d'être bien avec vous, en apprenant à vous respecter et, surtout, à prendre la place prioritaire dans votre vie.

Je vais vous donner quelques petits trucs pour apprendre à dire non, à écouter la petite voix que vous avez là, en dedans de vous, lorsqu'une demande vous est adressée!

À partir du moment où vous avez un doute sérieux concernant une proposition, une question, une suggestion, c'est que la réponse est probablement *non*! À ce moment-là, vous pouvez alors refuser si vous êtes sûr de vous, ou bien permettez-vous de demander une période de réflexion, et revenez lorsque vous aurez bien pesé le pour et le contre.

Il faut aussi parvenir à comprendre pourquoi, parfois, nous disons oui à contrecœur, alors que nous voudrions tellement dire non. Quels sont les dangers, quelles sont les peurs ou quelles angoisses sont assez puissantes pour que nous nous sentions obligés de prononcer un oui tellement lourd pour nous? Quel prix devons-nous payer pour maintenir une amitié si nous ne pouvons pas nous respecter et exprimer à l'autre ce que nous éprouvons? À qui pouvons-nous faire confiance? Dans quelles limites?

Toute réponse *forcée* n'aboutira qu'à vous créer des ennuis! N'oubliez pas que la personne qui se doit de compter le plus pour vous, c'est vous-même!

«NOUS DEMANDONS PARFOIS PLUS DE RESPECT
DES AUTRES QUE NOUS EN AVONS POUR NOUS-MÊME.»

(Tiré du livre *Moments d'inspiration*
de Patrick Leroux, www.patrickleroux.com)

16.

Soyez reconnaissant

Bien souvent, j'étais portée à croire que j'étais née pour un petit pain, que je ne méritais pas plus que ce que j'avais et que, surtout, je n'étais pas intelligente puisqu'à l'école, je n'étais pas très bonne. J'étais encline à me dévaloriser parce que je me comparais aux autres qui avaient plus que moi. Toutefois, lors de ma dépression, j'ai pris conscience de ce que la vie avait mis sur ma route, ces grandes bénédictions que Dieu m'avait données. Cela faisait de moi non pas une personne parfaite, mais un vrai miracle de la vie. C'est alors que j'ai réalisé qu'il fallait que je me permette un certain recul pour prendre conscience de tout ce que j'avais de bien et de grand en moi.

C'est ainsi que, dans les épreuves comme dans les grands moments de joie, j'ai pris plaisir à découvrir tout ce que je vis chaque jour en guise de bénédictions. Voici donc quelques exemples de ce que j'ai découverts au fil des ans.

Lorsque nous avons eu à traverser des périodes de difficultés financières, mon mari et moi avons voulu faire découvrir à nos enfants les bénédictions que nous pouvions faire ressortir de cette épreuve. Tous ensemble, nous nous sommes amusés à chercher et en voici quelques-unes :

- *un grand logement à coût minime où nous pouvions vivre sans trop nous marcher sur les pieds ;*

- *de chaudes couvertures pour nous couvrir lors de temps plus frais ;*

- *la chance d'avoir de la nourriture pour manger trois fois par jour ;*

- *l'amour de chacun de nous ;*

- *la richesse d'être bien entourés.*

Lorsque notre véhicule a brisé et que nous avons été dans l'obligation de nous déplacer à pied, nous avons profité de ce temps pour parler ensemble en allant faire les courses. De plus, nous avons acheté une carte de membre à notre marché d'alimentation qui offrait la livraison gratuitement. Quelques mois plus tard, nous avons été à même d'apprécier encore plus notre véhicule enfin réparé !

Découvrir et être reconnaisant chaque jour des bénédictions que nous offre la vie est facile lorsque nous nous donnons le temps d'y réfléchir. Le fait d'en prendre conscience, de les accueillir et de ne pas les tenir pour acquises est un pas que tout le monde peut faire. Dire chaque jour merci à la vie, à Dieu, c'est important, car ce ne sont pas les choses visibles qui sont nécessairement les vraies bénédictions, mais bien celles qu'on voit avec les yeux du cœur qui nous touchent le plus profondément.

Voici un nouvel exercice qui vous aidera à découvrir vos bénédictions, et je vous souhaite très fort de les apprécier.

– *Vous êtes-vous déjà arrêté pour prendre le temps de regarder, ou plutôt de prendre conscience de ce que vous avez en guise de bénédictions?*

• *Comment et pourquoi?*

Faisons un petit tour de ce que vous possédez afin de réaliser à quel point, en plus d'être le plus grand miracle de Dieu, vous êtes unique et formidable.

1. Est-ce que vous avez la chance de voir les beautés de la nature, les belles personnes?

2. Est-ce que vous entendez le chant des oiseaux, les pleurs d'un enfant et même votre musique préférée?

3. Est-ce que vous pouvez marcher, courir, faire de l'exercice, jouer au soccer?

4. Est-ce que vous pouvez écrire, dessiner?

5. Est-ce que vous pouvez sentir votre cœur battre, vos poumons se gonfler d'air, la preuve que vous êtes en vie?

6. Est-ce que vous pouvez goûter vos mets préférés?

7. Est-ce que vous pouvez toucher le poil d'un chaton, l'épine de la rose?

8. Est-ce que vous pouvez sentir l'odeur d'une mouffette ou celle des lilas?

Vous voyez, seulement avec ces huit réponses, vous réalisez que vous êtes choyé de merveilleuses bénédictions.

Maintenant, prenez quelques minutes et trouvez au moins dix autres bénédictions qui vous touchent personnellement.

Le fait de prendre conscience de ces bénédictions vous aidera à apprécier toute la chance que vous avez d'exister et de savourer la vie que vous avez reçue le jour de votre naissance.

Je vous invite à ne pas oublier que vous êtes un miracle de Dieu, et ce, bien que vous n'en soyez pas toujours convaincu. Vous êtes sur Terre pour accomplir de belles et grandes choses, que vous ne connaissez peut-être pas vous-même, ou que vous n'imaginez pas encore.

Si vous vous en donnez le droit, si vous écoutez votre cœur, vous découvrirez la joie qu'apportent l'amour de soi, le partage de ses connaissances, l'apprentissage de ceux qui ont réussi, autant *dans* la vie que *leur* vie! C'est alors que vous grandirez et réaliserez votre vraie richesse. Remerciez la vie de tout ce que vous avez et vous ne le regretterez jamais, croyez-moi.

17.

Les moments difficiles

*D*ans la vie, nous sommes tous confrontés à des difficultés, à des épreuves. Certaines sont plus graves que d'autres et plus difficiles à traverser. Toutefois, aucune ne se présente pour nous détruire. L'épreuve, quelle qu'elle soit, est toujours un tremplin afin que nous puissions y découvrir les forces et les habiletés incroyables qui se cachent à l'intérieur de nous. Il est préférable de nous y attarder afin de découvrir ces points positifs plutôt que de chercher le pourquoi et le comment de nos malheurs.

Lorsque nous observons les gens qui ont réussi *dans* la vie et réussi *leur* vie, nous découvrons que c'est dans chaque difficulté qu'ils ont su apprendre à gravir une à une les marches les menant à la réussite de leurs objectifs. Que ce soit au niveau personnel, professionnel ou familial, personne n'est plus qualifié que nous pour réussir notre vie. Nous en sommes le guide unique et le meilleur. La perception que nous avons de nous-mêmes et notre attitude face à ce que la vie apporte sur notre chemin font toute la différence.

Les épreuves de la vie sont comme des pentes de différentes inclinaisons que nous devons gravir pour arriver au sommet. Croire en soi, en cette personne exceptionnelle que nous sommes afin que rien ne puisse nous arrêter. Les *grands* de ce monde, ceux qui inspirent des gens comme vous et moi, ont tous été confrontés à des épreuves, à des moments difficiles de toutes sortes. Cependant, ils ont tous en commun d'avoir fait le choix de continuer de croire en eux-mêmes et en leurs rêves.

Aujourd'hui, nous utilisons le téléphone, l'avion, l'automobile, l'ordinateur, etc., tout simplement parce que leurs créateurs ne se sont pas laissé abattre par les épreuves que la vie a mises sur leur route.

Tout comme eux, Graham Bell, Bill Gates et de nombreux autres, vous pouvez réaliser vos rêves, faire de belles et grandes choses, car vous êtes une personne ayant le potentiel pour réussir. Il vous suffit simplement d'adopter, vous aussi, l'attitude d'un gagnant ou, si vous préférez, la persévérance!

———

— *Avez-vous déjà vécu une ou des épreuves qui vous ont affecté plus que d'autres?*

 • *Si oui, quelle a été votre attitude face à celles-ci?*

— *Si vous prenez un temps de recul et vous permettez de chercher dans votre tête, dans votre cœur, pouvez-vous affirmer que cette difficulté a eu des côtés positifs?*

 • *Si oui, lesquels?*

 • *Sinon, pourquoi?*

— *Maintenant, prenez cinq minutes, seulement cinq minutes, pour regarder autour de vous et noter par écrit les objets qui vous entourent. Ne vous censurez pas! Que voyez-vous?*

– *À quoi croyez-vous que les inventeurs de ces objets, qui semblent parfois anodines, ont été confrontés?*

– *Croyez-vous qu'ils avaient plus de potentiel que vous?*

• *Pourquoi?*

Ce que vous réussirez à faire de votre vie vous appartient et vous ne pourrez jamais blâmer personne d'autre de vos difficultés, ni glorifier une autre personne pour vos réussites, puisque tous les choix que vous faites vous appartiennent.

Toutefois, l'attitude que vous aurez devant ce à quoi vous serez confronté fera toute *la* différence.

18.

Des livres qui apportent un « plus »

J'*ai mentionné plus tôt que le fait de lire des livres de crois-*
sance personnelle m'a beaucoup aidée et m'a permis de découvrir une personne de qualité qui ne demandait qu'à s'épanouir
et à s'enrichir: MOI!

À travers ces lectures, j'ai pris conscience de tant de choses
incroyables, réalisables, simples et motivantes. Je lis et je relis
ceux qui me permettent de mieux me connaître. Parfois, le fait
de constater que je suis sur la mauvaise voie ou que je ne prends
pas la bonne direction me dérange un peu, mais cela me permet
surtout d'amener une remise en question de ma situation et ainsi
de valider si je poursuis ou non ma route dans cette direction.

Lorsqu'on vit une dépression, il se peut qu'on ait de la difficulté à nous concentrer pour lire. Cependant, il est possible de
le faire en ne lisant que quelques lignes par jour et de persé-
vérer, ce qui vous aidera sûrement.

À l'annexe *Suggestions de lecture*, vous trouverez la liste des ouvrages qui m'ont inspirée. Si vous sentez qu'un livre vous attire, n'hésitez pas à vous le procurer pour découvrir ce qui s'y cache. Vous y trouverez sûrement des réponses à certaines de vos questions.

Tirez profit de chaque livre qu'il vous sera possible de lire et profitez des bienfaits que vous en retirerez.

Se permettre d'apprendre, c'est, selon moi, se permettre de grandir, alors… *Bonne lecture!*

19.

Le mot de la fin

Eh bien, voilà, c'est déjà le temps de nous dire au revoir. J'espère de tout cœur que le partage de mon expérience vous a permis de vous retrouver, mais surtout qu'il vous a donné la motivation nécessaire pour utiliser les outils qui vous conviendront et qui vous permettront d'avancer dans la démarche personnelle que vous entreprenez.

De mon côté, je poursuis ma route, mon cheminement de vie, je me donne davantage le droit de faire de beaux apprentissages pour moi, pour que je sois bien avec moi-même et avec les gens que je côtoie. Je poursuis la concrétisation de mon rêve et je m'entoure de gens qui croient en moi, en ce que je peux réaliser dans la vie.

Je vis aujourd'hui intensément et je savoure à petites gorgées toutes les bonnes choses qui me sont données ici et maintenant.

Il reste toutefois une dernière chose que je trouve importante et opportune de souligner. J'ai pris des antidépresseurs sur une période de six mois, j'ai suivi deux thérapies, et j'ai surtout entrepris de grands changements dans ma vie. Comme plusieurs personnes ayant vaincu la dépression, je dois être aux aguets, car nous restons plus fragiles et surtout plus conscientes des messages que nous envoie notre corps. Toutefois, il y a des gens qui auront besoin d'une médication à plus long terme, ou même à vie, ce qui n'a rien de honteux, bien au contraire ; cela démontre une grande dose de courage et de volonté. Sachez que je souhaite très fort, par mon livre, avoir réussi à faire une petite différence dans la vie des gens atteints d'une maladie mentale. Si mon histoire a pu vous aider, alors j'en suis vraiment très honorée.

Je vous souhaite ce bonheur que vous désirez tant, de retrouver la santé, de vous entourer de gens formidables qui vous aideront à croire en vous. Je vous souhaite tout ce qui est bon pour vous.

Bon courage et, surtout, ne cessez jamais de croire que vous avez droit à votre place au soleil, vous aussi.

Avec le plus grand des plaisirs,

Christine

Suggestions de lecture

ALLEN, James. *L'homme est le reflet de ses pensées*, Les éditions Un Monde différent, 1997.

BYRNE, Rhonda. *Le Secret*, Les éditions Un Monde différent, 2007.

CANFIELD, Jack, Mark Victor Hansen et collab. *Bouillon de poulet pour l'âme de l'enfant*, Béliveau Éditeur, 2000.

CANFIELD, Jack, Mark Victor Hansen et collab. *Bouillon de poulet pour l'âme du couple*, Béliveau Éditeur, 2001.

CANFIELD, Jack, Mark Victor Hansen et collab. *Un 4e bol de Bouillon de poulet pour l'âme*, Éditions Sciences et Culture, 2000.

DUBOIS, Madeleen. *Le pouvoir de la bénédiction*, Les éditions Quebecor, 6e édition, 2011.

FISHER, Marc. *Le testament du millionnaire*, Les éditions Un Monde différent, 2002.

JONHSON, Spencer. *Qui a piqué mon fromage?* Édition Michel Lafon, 1998.

KERSEY, Cynthia. *Ces êtres que rien n'arrête*, Éditions ADA Inc., 2000.

KYNE, Peter B. *Le fonceur*, Les éditions Un Monde différent, 1982.

LEROUX, Patrick. *Moments d'inspiration*, Les éditions Un Monde différent, 2002.

LEROUX, Patrick. *Pour le cœur et l'esprit*, Les éditions Un Monde différent, 2001.

LEROUX, Patrick. *Réussir n'est pas péché*, Les éditions Un Monde différent, 2003.

MANDINO, Og. *Le mémorandum de Dieu*, Les éditions Un Monde différent, 1990.

MANDINO, Og. *Le plus grand vendeur du monde*, Les éditions Un Monde différent, 1988.

MANDINO, Og. *Une meilleure façon de vivre*, Les éditions Un Monde différent, 1990.

MARTEL, Jacques. *Le grand dictionnaire des malaises et des maladies*, Les éditions ATMA internationales, 1998.

MORENCY, Pierre. *Demandez et vous recevrez*, Les éditions Transcontinental, 2002.

PETITCOLLIN, Christel. S'affirmer et oser dire non, Les éditions Jouvence, 2003.

SCOVEL SHINN, Florence. *Le jeu de la vie et comment le jouer*, Les éditions Astra, 2002.

SCHWARTZ, David J. *La magie de voir grand*, Les éditions Un Monde différent, 1983.

SHARMA, Robin S. *Le moine qui vendit sa Ferrari*, Les éditions Un Monde différent, 1999.

À propos de l'auteure

Pour CHRISTINE DUBOIS, les mots «anxiété généralisée» sont entrés dans sa vie, alors qu'elle était âgée de 27 ans. Trois ans plus tard, c'est le mot «dépression» qu'elle doit ajouter à son vocabulaire. Elle, une femme positive, dynamique, toujours souriante! Comme plusieurs personnes, elle croyait que «ça n'arrivait qu'aux autres». Elle décide donc de ne pas se laisser abattre et entreprend deux thérapies, l'écriture d'un livre, et elle apporte surtout de grands changements dans sa vie. Par cette maladie, elle prend conscience de tout le potentiel qui l'habite. Guidée par sa petite voix du cœur, elle affronte ses peurs et brise une à une les croyances erronées dont elle était prisonnière.

Grâce à la dépression, elle est devenue une femme épanouie, une personne qui se permet de croire en la vie, qui se fixe des objectifs et qui les atteint tout simplement, puisqu'elle sait qu'elle en est capable.

Aujourd'hui, auteure et conférencière, Christine Dubois est reconnue comme étant une femme déterminée, qui ne laisse pas les obstacles l'arrêter. Son histoire et son courage sont une source de motivation pour plusieurs. Elle ne craint plus les défis, au contraire elle trouve cela stimulant.

En juin 2010, elle est devenue l'un des visages de la *Semaine de sensibilisation aux maladies mentales*. Cette grosse campagne pancanadienne a pour but de combattre les préjugés défavorables sur la maladie mentale. Le visage de Christine, son histoire, se retrouvent alors sur des affiches, des signets, des sites Web, etc. Par son implication, elle espère prouver aux gens que le rétablissement est possible pour toute personne atteinte d'une maladie mentale.

Vous pouvez suivre Christine sur Facebook, «la dépression, le plus beau cadeau de ma vie».

christine.dub40@yahoo.fr

Pour information sur la
Semaine de sensibilisation
aux maladies mentales, visitez le site:

www.miaw.ca/fr/campaign/overview.aspx

Autres ouvrages disponibles
*chez **Béliveau Éditeur***

Comment survivre dans nos vies de fous !

Voici un éventail de techniques faciles à apprendre
qui transforment les moments de stress
en occasions de relaxer

MINA HAMILTON, *conférencière,*
enseigne la réduction du stress et le yoga

978-2-89092-473-4 - 204 pages

Maximisez l'utilisation de votre temps !

*Les femmes d'aujourd'hui ont un horaire si chargé
qu'elles ne savent plus où donner de la tête !
Il existe pourtant un remède à cela!*

* *

CLAUDINE TROTTIER, *passionnée par l'art
de la simplicité et l'organisation, sait
comment s'organiser pour simplifier
sa vie et celle de ses clientes !*

978-2-89092-463-5 - 160 pages

Nous pouvons changer notre façon de réagir
et trouver en nous la réponse positive,
pacifique à toutes les difficultés de la vie.

Ou bien nous sombrons dans le désespoir
et laissons la peur diriger notre vie.
Ou bien nous ouvrons notre cœur à ceux
qui nous entourent, nous nous guérissons...

* *

KAREN CASEY *est auteure de seize volumes, dont*
Chaque jour un nouveau départ. *Son engagement*
à aider les autres à se guérir eux-mêmes
ont fait d'elle une oratrice très recherchée.

978-2-89092-459-8 - 192 pages

*Développer une estime de soi positive,
c'est possible !*

*Pour savoir sur quoi repose l'estime de soi,
comment la nourrir chez vos enfants, la soutenir
dans vos écoles, la stimuler dans vos organisations,
la renforcer en phychothérapie ou
la développer en vous, il vous faut ce livre.*

* *

NATHANIEL BRANDEN *a fait plus que quiconque
pour éveiller la conscience de l'homme
à l'importance de l'estime de soi.
Il a écrit de nombreux ouvrages sur ce sujet.*

978-2-89092-470-3 - 136 pages

Réalisez votre plein potentiel
et ouvrez-vous à de nouveaux horizons !

Voici un guide simple qui vous permettra
de trouver et de garder la motivation
pour pratiquer toute activité physique

* *

MARC ANDRÉ MOREL, *conférencier, est aussi auteur*
sur les sujets du leadership personnel et de la motivation

Collaboration spéciale de Sylvain Guimond, Ph.D.,
sommité mondiale dans les domaines de la posture,
de la biomécanique et de la psychologie du sport

Préface de Nathalie Lambert, athlète olympique

978-2-89092-483-3 - 152 pages